ホームステイ・短期留学で 1日目から通じる英会話

Homestay Communication Handbook

毎日使えて気持ちが伝わる 基本754フレーズ

小林則子 著＋NOVA

身によくつく英会話
NOVA BOOKS

はじめに

　ホームステイや短期留学では、観光やショッピングだけが目的の海外旅行では経験できないような日常生活レベルでの異文化体験ができ、同時にホストファミリーやクラスメイトなどさまざまな人たちとの出会いが待っています。それだけに、いろいろな場面で英語でのコミュニケーションができるかどうかが肝心です。

　本書では、「ユミコ」のはじめてのホームステイ体験を追いながら、ホームステイ先やスクールなどでのさまざまな場面で想定される会話や表現をふんだんに取り入れました。また、日常生活のルールやマナーについても随所に盛り込みましたので、参考にしてください。

　さらに、海外でさまざまなアクティビティを行なうときの会話表現や各種情報、日本を話題にとりあげるときの参考情報、海外の主な祝祭日の過ごし方、日本食のレシピ、ジェスチャーの意味など、外国での生活体験をサポートする盛りだくさんな内容を収録しています。

　外国へ行けばあなたもひとりの民間大使です。あなたと知り合った人たちは、あなたという個人を通して日本や日本人を知ることになります。日本人として、そしてひとりの人間として、あなたの個性や人間性を外国でどこまで発揮できるか。それがコミュニケーションの最大のポイントです。この点を心にとめて、毎日の生活を積極的に楽しんできてください。

　最後に、ホームステイや短期留学を経験されるみなさんが、著者の想像の枠を超えたさまざまなできごとや失敗を経験し、何物にも代えがたい一生の思い出をつくって帰られることを、心から期待しています。

1999年 盛夏　　小林 則子

主人公紹介

20歳の大学生斉藤ユミコは、夏休みの1か月をアメリカ・サンフランシスコ郊外の
ABCカレッジへ短期留学することにしました。

ホストファミリーは、the Nelsons。

William[Billy]、Cynthia[Cindy]夫妻、小学生の
Thomas[Tom]、幼稚園に通うLindaの4人家族。

カレッジではドイツ人女性のRita、韓国人男性のJung、
日本から来たMakikoと意気投合します。

ユミコの海外体験を通して、ホームステイ先でよく使われ
る英会話表現を身につけましょう。

本書の使い方

①ホームステイ先、スクール、外出先など、滞在中に想定される
場面ごとにフレーズを集めました。

・・・・・・・・ **自分の部屋に案内される**

ユミコは滞在中使う部屋を、
シンディに案内してもらいます。

②場面別に絶対に覚えておき・・・・・・・・ **I like it very much!**
たい重要フレーズです。　　　　　　　　　　　**気に入りました！**

- Cindy: Come on, I'll show you around the house. This is
  your room.
- Yumi: Oh, it's pretty! Is the room all for me?
- Cindy: Yes, it is. Do you like it?
- Yumi: Yes, **I like it very much!**

シンディ：さあ、家の中を案内するわ。あなたのお部屋はここよ。
ユ　ミ：わっ、きれい！これ個室ですか？
シンディ：そうよ。気に入った？
ユ　ミ：ええ、とっても！

③重要フレーズの使われ方を　　**Where can I put my clothes?**
ダイアログで紹介。滞在中　　　　**服はどこにしまったらいいですか？**
のできごとを具体的に想定
した内容です。

- Yumi: **Where can I put my clothes?**
- Cindy: You can hang your coat in this wardrobe and put
  your other clothes in this chest.
- Yumi: Thank you. Can I have some more hangers?
- Cindy: I'll bring them down for you.

ユ　ミ：洋服はどこにしまったらいい？
シンディ：コートは洋服ダンスにかけて、他の服はこのタンスにしまうといいわ。
ユ　ミ：ありがとう。ハンガーをもっとほしいのですが。
シンディ：後で持ってきてあげるわ。

④ダイアログに出てくる表現・・
について、関連、言い換え
表現などを収録しています。・・・・・

衣服は clothes（発音：クロウズ）と常に複数形で表現。cloth（発音：クロース）は布や布巾
を意味。洋服ダンスは wardrobe または closet ともいう。

34

4

お役立ち表現

この部屋は共用でしょうか?	Do I share this room?
お手洗いを使いたいんですが	May I use the bathroom?
市街図を貸してもらえますか?	May I borrow the city map?
何か飲み物をもらえますか?	Can I have something to drink?
ちょっと横になりたいんですが	I'd like to have a lie-down.
まず少し休みたいです	I'd like to take a rest first.
まず荷ほどきをしたいです	I'd like to unpack first.
＊ごゆっくりどうぞ	Take your time.
おみやげがあります	This is a present for you.
気に入ってもらえるといいんですが	I hope you like it.

生活のルールを知る　自分の部屋に案内される

〈単語〉show ... around ●案内する　　　unpack ●荷物をとく
　　　take a rest ●休憩する　　　　　clothes ●衣類
　　　take one's time ●ゆっくりする　　wardrobe ●洋服ダンス
　　　have a lie-down ●ちょっと横になる chest ●タンス

おっとうっかり！

欧米でははじめて訪問する家におみやげを持っていくという習慣はありません。お礼の気持ちは、カードやクリスマスプレゼントの形で帰国後に示すほうが自然です。滞在中に話がはずむような写真や雑貨や食品などを持っていくことをおすすめします。どうしても持っていきたい場合も、高価なものはかえって不思議に思われます。

35

⑤必要な場面、フレーズがここから検索できます。

⑥場面別に知っておきたいフレーズ、単語を厳選収録しました。

⑦日常生活の心得を掲載。海外生活にスムーズに馴染むためのコツがいっぱいです。

本書の使い方

⑧＊のマークは相手が話すフレーズを表します。

基本表現

同意／不同意の言い方や、あいさつなど、基本的な英語表現をまとめて掲載。表現力が豊かになります。

海外の祝祭日の紹介

クリスマス、ハロウィンなど、海外の国民的な祝祭日を紹介。異文化の予習に役立つ項目です。

日本紹介

外国人から日本についてよく尋ねられる事項に関する参考資料や、日本料理のつくり方も紹介。話題づくりに役立ちます。

CONTENTS

●出発前のよくある疑問 ‥‥‥‥‥‥‥‥ 10
●出発前の基本表現 ‥‥‥‥‥‥‥‥‥ 20

Part1 ホームステイ先で…27〜100

●生活のルールを知る

ホストファミリーに手紙を出す ‥‥‥‥ 28

空港へ迎えにきてもらう ‥‥‥‥‥‥ 30

家族にあいさつする ‥‥‥‥‥‥‥‥ 32

自分の部屋に案内される ‥‥‥‥‥‥ 34

わからないことを聞き返す ‥‥‥‥‥ 36

食事と入浴について聞く ‥‥‥‥‥‥ 38

洗濯と掃除について聞く ‥‥‥‥‥‥ 40

ゴミの分別と喫煙について聞く ‥‥‥‥ 42

門限や家のルールについて聞く ‥‥‥‥ 44

学校への行き方を確認する ‥‥‥‥‥ 46

●家族と親しくなるために

家族と食事をする ‥‥‥‥‥‥‥‥‥ 48

自分の家族や出身地について話す ‥‥‥ 50

今日あったことを話す ‥‥‥‥‥‥‥ 52

家事や料理を手伝う ‥‥‥‥‥‥‥‥ 54

迷惑をかけたので謝る ‥‥‥‥‥‥‥ 56

誘いを断る ‥‥‥‥‥‥‥‥‥‥‥ 58

スーパーへ行く ‥‥‥‥‥‥‥‥‥‥ 60

テレビを見る ‥‥‥‥‥‥‥‥‥‥‥ 62

子どもと話す ‥‥‥‥‥‥‥‥‥‥‥ 64

●さらに便利に、快適に

電話を借りる ・・・・・・・・・・・・・・・・・・・66

電化製品を借りる・・・・・・・・・・・・・・・・・・68

車で送ってもらう ・・・・・・・・・・・・・・・・・70

外食／外泊をすると伝える ・・・・・・・・・・・72

具合が悪いと訴える ・・・・・・・・・・・・・・・74

ピクニックへ行く ・・・・・・・・・・・・・・・・・76

ホームパーティに参加する ・・・・・・・・・・・78

バースデイパーティを開く ・・・・・・・・・・・82

日本食をごちそうする ・・・・・・・・・・・・・84

ガレージセールへ行く ・・・・・・・・・・・・・・90

教会へ行く・・・・・・・・・・・・・・・・・・・・・92

家族に別れを告げる ・・・・・・・・・・・・・・・94

お礼の手紙を書く・・・・・・・・・・・・・・・・・96

Part 2 スクールで…101〜128

●友達をつくる

オリエンテーションを受ける ・・・・・・・・・・・102

クラスで自己紹介する ・・・・・・・・・・・・・・104

クラスメイトに話しかける ・・・・・・・・・・・106

ランチをいっしょにとる ・・・・・・・・・・・・・108

クラスメイトを誘う・・・・・・・・・・・・・・・・110

友達を励ます ・・・・・・・・・・・・・・・・・・・112

デートに誘う／誘われる ・・・・・・・・・・・・・114

CONTENTS

●授業／課外活動で

授業中に質問する··················116

授業中にディスカッションする·········118

文化交流の集いを開く··············120

図書館を利用する／職員と話す········122

アドバイザーに相談する············124

エクスカーションに参加する··········126

Part 3 外出先で…129〜170

●交通機関で

タクシー／地下鉄に乗る············130

バスに乗る／定期券を買う···········132

道を聞く／他人に声をかける··········134

レンタカーを借りる················136

●町に出る

ショッピングをする················138

映画を見にいく···················140

スポーツをする···················142

大リーグ観戦に行く················144

観光ツアーを申し込む···············146

ホテルに泊まる···················148

ファーストフードを注文する···········150

レストランで食事をする ············152

ナイトライフを楽しむ··············154

銀行で両替をする·················156

郵便物を送る····················158

●トラブル発生時に

病院／薬局へ行く ・・・・・・・・・・・・・・・・・ 160

大事なものの紛失や盗難 ・・・・・・・・・・・ 164

交通事故にあったら・・・・・・・・・・・・・・・ 166

強盗やゆすりにあったら ・・・・・・・・・・・・・ 168

Part 4 日本について話す・・・171〜179

面積は?／人口は?／気候は?／交通は?／教育は?

仕事は?／宗教は?／結婚は?／政治は?／住宅は?

新年は?／休暇は?／祝日は?／伝統行事は?

●お役立ち情報

ホームパーティいろいろ ・・・・・・・・・・・・・・・ 80〜81

日本料理のつくり方・・・・・・・・・・・・・・・・・・ 86〜89

アメリカの祝祭日 ・・・・・・・・・・・・・・・・・・・ 98〜100

ネイティヴらしく話すための表現 ・・・・・・・・・ 128

体調を正しく説明する・・・・・・・・・・・・・・・・ 162〜163

知っておきたいチップの渡し方 ・・・・・・・・・・ 170

知っておきたいジェスチャーの意味 ・・・・・・ 180〜181

衣服サイズ早見表 ・・・・・・・・・・・・・・・・・・ 182

電話のかけ方 ・・・・・・・・・・・・・・・・・・・・・ 183

世界各国の時差早見表 ・・・・・・・・・・・・・・ 184〜185

索　引・・・・・・・・・・・・・・・・・・・・・・・・・・・ 186〜191

● 出発前のよくある疑問 ●

ホームステイや短期留学をしてみたいと考えているみなさんは、
期待とともにさまざまな不安や疑問ももたれていることでしょう。
ここでは海外生活を前にして多くの人が抱きがちな悩みにお答えします。
異国の人々との出会い、異文化との触れ合いについての
基本的な知識や心構えをまず身につけておきましょう。

Q 英語が通じるかどうか心配です

A それを試しにいくのがホームステイや短期留学の目的のひとつです。その際に大切なことは3つです。わからなければ聞き返す勇気、自分の意思が伝わったかどうか確認する度胸、言葉の壁を越えて周囲に溶け込もうとする姿勢。こうした積極的な心構え（悪く言うとずうずうしさやしつこさ!）が大切です。発音に自信がないからといって小さな声でぼそぼそ話していたのでは、相手にも聞こえないので当然気持ちは伝わりません。かっこいい発音よりはっきりと発音することを心がけましょう。それに、「この子大丈夫かな?」と思われると、かえって親切にしてもらえることもありますよ。

Q 短期留学でどれくらい英語は上達しますか?

A 英語が使われている国で少し生活したからといって、いきなり英語が上達するわけではありません。あまり英語のできない人が、現地で生活を続けて、多少ブロークンでも会話に不自由しなくなるには最低1〜2年はかかるでしょう。ですから数週間や1〜2か月の短期留学では、あまり効果を期待し過ぎないことです。

それより、日本では得難い「発話のチャンス」をいかに多くもつことができるかを目標にしましょう。あなたの現在の英語力を駆使して、異文化の中でどれだけのコミュニケーションができ、すばらしい出会いを経験できるか。それを心がけて行動すれば、きっと一生の思い出ができます。

Q 語学スクールでは日本人が多くて 英語の勉強にならないのでは?

A 語学スクールはさまざまな国から英語を学ぶために集まった学生同士の出会いの場でもあります。留学生の話す英語はネイティヴの英語よりわかりやすいこともよくあります。スクールによっては日本人の多い場合もあるでしょうが、がっかりしないで、他国からの学生を交えて、日本人同士でも英語で話すようなシチュエーションづくりをしてはどうでしょう。日本人だけで集まり、日本語で話していたのでは閉鎖的とも思われかねません。友達づくりは語学力より性格や人格が決め手。国籍や人種を越えた、一生の友になる人との出会いがあるかもしれませんよ。

Q ホストファミリーと うまくやっていけるかどうか心配です

A ホストファミリーは家族構成や職業、人種、生活習慣など千差万別。両親と子どものいる家族、シングルマザーの家族、若い夫婦、年配の夫婦…。経済的状況にも差があるでしょうし、家族の一員としてともに行動するところや、逆に放任主義のところもあるでしょう。また、移民の家族で、韓国人やインド人の家庭ということもあるかもしれません。つまり受入先として多種多様な人々がいることがホームステイの魅力のひとつなのです。

そもそもホームステイの目的は、国境を越えた人間同士が一定期間寝食をともにし、互いの生活習慣、文化の違いを理解することにあります。あなたは縁のあったホストファミリーと家族の一員として大いにリラックスして付き合い、彼らの生活習慣、食事、考え方、宗教をオープンな気持ちで受け入れてください。多様な文化や生活を経験することによって、あなたの国際感覚が豊かになり、国際的視野が広がることは間違いありません。

出発前のよくある疑問

Q 滞在中は、寮生活をする人もいると聞きましたが

A 　　大学の語学コースを選択した場合、学生寮でステイする人も多いことと思います。寮の生活は、ホームステイとは生活環境が大きく異なり、同世代の人たちとの出会いや時間をより楽しめる場所だといえるでしょう。

　筆者が、イギリスの大学で1年間寮生活を送ったときの場合は、各自の部屋は個室で、キッチンはフロアごとにあり、冷蔵庫は共用、ダイニングルームは学生たちのたまり場としていつもにぎわっていました。大学の広い構内は、図書館やスポーツ施設はもちろんのこと、小さなスーパーから、書店、郵便局、銀行の自動支払い機、シアター、ギャラリーまで揃う充実ぶりで、特に外出しなくても生活ができるようになっていました。自炊をしたくないという人には、構内にカフェテリアが複数あり、夜にはパブもオープンします。洗濯は構内のコインランドリー[launderette]で行ない、掃除は大学が雇っているクリーナーのおばさんたちが、週に一度ベッドメーキングまでやってくれました。

　具体的な設備やシステムは大学によって異なりますが、夏休みなどを利用して開催される語学コースの場合は、学内の施設が利用可能かどうかの確認が必要です。

 イエスとノーをはっきり言うのがどうも苦手です

A 日本人がイエスとノーを明確に言えない理由は大きくとらえて2つ考えられます。

ひとつは自分で自分の意思がはっきりしないケース。Do you want to come?（いっしょに行かない?）と誘われた場合、「行きたいような行きたくないような」どっちつかずの気持ちであったり、「行きたいけど本当にいいのかな」とか、「行かないと悪いかな」とか、あれこれ余計なことまで考えて、結局あいまいな返事をしてしまいがちです。

しかし、コミュニケーションの第一原則は、自分の意思を明確にあらわすことであって、海外でははっきりしないことのほうが問題となります。意思をすぐに決められないときには、I don't know.（わからない）やI'd like to think about it.（ちょっと考えてみます）など、YESやNO以外の答え方もあります。「うーん」とうなってばかりでは意志薄弱ととられてしまいます。

もうひとつは英語と日本語の答え方の違いに混乱しているケースです。特に否定疑問文や付加疑問文に対する返答にはとまどいがちです。Don't you want to come?（いっしょに行きたくない?）と誘われたり、You don't want to come, do you?（行きたくないよね?）と意思を確認されている場合、いずれも疑問文を直訳して考えずに、行きたい場合はYES、行きたくない場合はNOと答えます。スムーズに応じられるようにしっかりトレーニングをしておきましょう。

出発前のよくある疑問

Q レディーファーストはどういうふるまいのことですか?

A レディーファースト(ladies first)とは、「お先にどうぞ(after you)」の
気持ちをもって相手を思いやることです。女性に限らず、お年寄りや身
障者、赤ちゃん連れの人や小さい子どもに対しても配慮したいことです。海外に
いるときに限らず大切なマナーですので、日本に帰ってきてからも続けてほしいと
思います。

〈ぜひ守りたいこと〉

●ドアを押さえて開けたまま、他の人を先に通す

●エレベータや電車にわれ先にと乗り込まない

●電車やバスの席を譲る。また、目の前の席が空いたときも譲る気持ちをもつ

●重い荷物を持ってあげる

●道を歩くときは自分が危険な側を歩く(ニューヨークなどではスリや強盗から守
　るために女性に車道側を歩かせる考え方もあります)

　どれも格別難しいことではありませんが、残念ながら日本では必ずしも実践され
ていません。

〈できれば守りたいこと〉

●女性との握手は女性のほうから手を出したときだけで、自分からは出さない

●レストランでの着席は女性から

●車はドアの開閉をして女性を乗り降りさせる

Q 日本人の女性として気をつけることはありますか?

A 特に失礼に当たると言うよりは、不可解に思われる行動が多いようです。
●笑うときや話すときに手で口もとを隠す
●意味もなく笑う、微笑む
●人前で枝毛を切る
●みんなにお酌をする
●タバコを吸う人に火をつけてあげる
●トイレで水を流しながら用を足す
●トイレットペーパーの端を三角に折る

もし日本人女性はYellow Cabだと高をくくっているような奴に会ったら、断固Noを食らわせてやりましょう。

Q 公共の場所で気をつけるべきマナーは何ですか?

A まず「他人との距離をきちんと保つ」ことです。欧米人は人目もはばからずキスやハグをしていますが、それは親しい間柄のみのことで、逆に他人には触れないように非常に気を遣います。

〈ぜひ守りたいこと〉
●人の間を通してもらうときにExcuse me.を忘れない
●他人に体がちょっと触れてもExcuse me.を忘れない
●人を指差さない
●トイレなどの順番は一列に並んで待つ。列に並んでいるときに押さない
●トイレのドアをノックしない(ドアが閉まっているときは使用中)
●つばを吐かない
●列車の中で靴を脱がない
●あまり声高に話さない
●公共の場所で酔っ払わない
●不必要に走らない

出発前のよくある疑問

Q 喫煙マナーについて気をつけることは？

A アメリカをはじめ欧米諸国では嫌煙、禁煙人口が増えており、ヘビースモーカーの人は外国では肩身の狭い思いをせざるを得ません。公共の場での喫煙は法律で禁じられているケースも多いので、掟破りをしないようにご用心。

〈ぜひ守りたいこと〉
● May I smoke?「タバコを吸ってもいいですか？」を口癖に
● 赤ちゃんや子どもがいる場では聞くまでもなく禁煙
● 歩きながらタバコを吸わない
● 同伴者がノンスモーカーの場合は禁煙席に
● 喫煙席でも同伴者が食事中には吸わない
● ステイ先で隠れて吸わない
　ひとこと断ったうえで、決められた場所で吸うのが喫煙のエチケットです。

Q 日本人が無意識にしてしまうことで、気をつけることは何ですか？

A 　無意識にしてしまうことを意識的にしないようにするのはいちばん厄介なのですが…。

〈できれば守りたいこと〉

●話し相手の目を見る、アイコンタクトを忘れない
　（日本人はついつい目をそらしがち）

●自分を差すのに人差し指で鼻を指差さない（代わりに親指で胸を差します）

●他の人が入ってきてもいいときは自室のドアを開けておく
　（閉鎖的にならないように）

●中指を立ててメガネのずれを直さない（Fuck you!の意味に誤解されかねません）

●うがいをするときになるべく音をたてない

●恥ずかしいときや困ったときに笑わない

●不快感は遠慮や我慢をせずに伝える

●食事中に勝手に中座しない（Excuse me.と必ず言ってから）

●口に一度入れたものを出さない（果物の種や魚の骨など）

Q これをしたら嫌われがちというような注意事項はありますか？

A 　最も悪いのは嘘をつくこと、約束を破ること。宣誓や契約に重きを置く社会では、日常生活においてもお互いの信頼関係を守ることをその基盤としています。

〈ぜひ守りたいこと〉

●嘘をつかない（You're a liar.「嘘つき」と言われたらまずおしまいです）

●約束を破らない、守れないような約束はしない（Can you promise?「約束する？」と問われて、できそうになかったらI can't promise.「約束はできない」と正直に言った方が、後で約束を破るよりずっといいです）

●プライバシーを侵害するような言動をしない

●人種問題について人前でコメントしない（非常にデリケートな問題です）

出発前のよくある疑問

Q 帰国後はどのようにしたら
英語力をキープできますか?

A キープするほどの英語力をおみやげにできれば大成功ですが、ほとんどの場合自分の語学力のいたらなさに気付かされるのではないかと思います。だとすれば、それが何よりの収穫です。それまでの勉強で足りなかったところを強く意識したり、これからもっとうまくなりたいという気持ちが強くなっていることでしょう。この気持ちをずっと持ち続けることが重要です。日本ほど英語の学習環境が整っている国もめずらしく、英語の教材、学校の授業、語学スクール、映画、テレビ、ラジオなど英語に触れる機会はいくらでもあります。あなたが好きなやり方で、無理なく継続できるような学習プログラムを立ててください。

筆者がイギリスに留学してから10年以上がたちますが、当時の英語力を現在と比べると、キープはもとより、随分と成長したと思います。秘訣はというと、英語を絶えずオンザジョブで使ってきたこと、折々の海外旅行や滞在で英語を話す機会をもったこと、テレビや映画などで生きた英語にできるだけ触れていることなど、特に変わったことをしたわけではなく、ただ絶えず関わり続けていただけだという気がします。英語に限らず言語の習得には時間がかかり、終わりがありません。ホームステイや留学の貴重な体験を糧にして次のステップめざしてがんばりましょう。

Q 留学前にはどんなトレーニングを していったらいいですか?

A Listening（聞くこと）とSpeaking（話すこと）を中心に、できるだけ耳と口を鍛えておきましょう。Listeningは、テレビやラジオなどを通してできるだけ多くの自然な英語に触れることと、テープやCDなどのテキスト付きの教材で音声で内容を確認しながら学習できる形態のものを併用しましょう。テレビやラジオを利用するほうは、聞き流して聞き取れる部分が少しずつでも増えればよしとし、ネイティヴの話すスピードに慣れておきます。テキストでじっくり取り組むほうは、自分の弱点を把握して聞き取りの力を少しずつ向上させるようにします。正しい発音を身につけることもListening力アップにつながります。

　Speakingは、実際に話す機会があればどんどん活用し、授業や家庭での学習でも大きな声で繰り返し発話の練習をしましょう。学校では「何を言うか」よりも「どう正しく言うか」に重きが置かれがちですが、留学が迫ってきたら、「自分がここで何を発話できるか」ということを重視して、会話に参加するすべを身につけましょう。イメージトレーニングのように、実際に起こり得る場面を想定して、そんなときは何と言おうかと考えてみるのもいいでしょう。間違いは気にせず、失敗から学びとるくらいの気持ちで臨むことです。

出発前の基本表現

あいさつ

こんにちは	Hi.／Hello.
元気?	How're you doing?
元気?	How's it going?
元気だった?	How have you been?
おひさしぶり	Long time no see.
どうしてる?	What's up?
どうしてる?	What's new?
学校はどう?	How's school?
最高	Great.
まあいい	Pretty good.
ふつう	Okay.
あまりよくない	Not so good.
悪くはない	Not bad.／So so.
最低	Terrible.
残念だけど、もう行かなくちゃ	I'm sorry I have to go.
じゃあね	See you.
じゃあね	Take it easy.
じゃあまた明日	See you tomorrow.
トムによろしく	Say hello to Tom.
気をつけて	Take care.

同意／不同意

はい、お願いします	Yes, please.
いいえ、けっこうです	No, thank you.
そう思います	I think so.
そうは思いません	I don't think so.
そう願います	I hope so.
そうならないことを願います	I hope not.
わたしもそう	Me, too.
わたしもそうじゃない	Me, neither.

あいづち

ほんと?	Really?
確か?	Are you sure?
そのとおり	That's right.
それはいいね!	That's nice!
それはすごい!	That's great!
まさか?	Are you kidding?
正気?	Are you nuts?
そう	I see.
つまり…	You mean ....
かもね	Could be.
絶対だね	Definitely.

出発前の基本表現

感謝する

ありがとう	Thank you.
どうもありがとう	Thanks a lot.
お待たせ	Thank you for waiting.
ご苦労さま	Thank you for your work.
いろいろありがとう	Thank you for everything.
お礼の言葉もありません	How can I thank you.
ご親切にどうも	That's very kind of you.
助かりました	I appreciate it.
とても助かります	It means a lot to me.

どういたしまして

どういたしまして	You're welcome.／My pleasure.／Don't mention it.
またいつでもどうぞ	Any time.
お安いご用	No problem.

気にしないで

平気だよ	It's okay.
大丈夫	It's all right.
気にしないで	Never mind.
心配しないで	Don't worry.
どうってことないよ	No problem.

誤解されたときに

そうじゃないよ	That's not true.
それは事実じゃないのよ	That's not the case.
誤解しないで	Don't get me wrong.
誤解してるよ	You are misunderstanding.
そういう意味じゃないのよ	That's not what I meant.
混乱してるんだわ	You are confused.
傷つけるつもりはなかったの	I didn't mean to hurt you.
そんなつもりじゃないのよ	I don't mean that.
うまく言えないけど…	I can't explain well, but....

数字を聞く

いくら?	How much?
料金は?	What's the fare?
どれくらい（の数)?	How many?
どれくらい（の長さ)?	How long?
どれくらい（の距離)?	How far?
どれくらい（の頻度)?	How often?
今日は何曜日?	What day is today?
今日は何日?	What's the date today?
今何時?	What time is it now?
何番?	What number?

出発前の基本表現

気持ちを伝える

うれしいです	I'm glad.
心配です	I'm worried.
緊張しています	I'm nervous.
感動しています	I'm moved.
ワクワクしています	I'm excited.
楽しみです	I can't wait.
驚きました	I'm surprised.
悲しいです	I'm sad.
恐いです	I'm scared.
恥ずかしいです	I'm embarrassed.
うらやましいです	I'm jealous.
頭にきています	I'm upset.
がっかりしています	I'm disappointed.
うんざりしています	I'm disgusted.
退屈しています	I'm bored.
それはよかった	I'm happy to hear that.
それはお気の毒に	I'm sorry to hear that.

空港で

チェックインしたいんですが	I'd like to check in.
禁煙席をお願いします	Non-smoking, please.
窓側の席はありますか?	Do you have a window seat?
通路側の席はありますか?	Do you have an aisle seat?
＊滞在の目的は?	What's the purpose of your visit?
ホームステイで来ました	I'm here for homestay program.
英語学校へ通います	I am attending an English school.
＊滞在期間は?	How long are you staying?
2か月です	Two months.
荷物受取はどこですか?	Where is the baggage claim?
申告するものはありません	I have nothing to declare.

機内で

＊お飲み物は何にいたしますか?	What would you like to drink?
白ワインをください	White wine, please.
＊お肉とお魚のどちらにしますか?	Meat or fish?
お魚をください	Fish, please.
あちらに座ってもいいですか?	Can I sit over there?
・お水を一杯いただけますか?	Can I have a glass of water?
・気分が悪いのです	I feel sick.
日本の新聞は?	Any Japanese newspapers?

出発前の基本表現

25

出発前の基本表現

数字の読み方

数 字	
4,225,000,000	four billion, two hundred and twenty-five million
.008	point zero zero eight
2／3	two thirds

時 間	
2:00	two／two o'clock
2:15	two fifteen／fifteen past two
2:30	two thirty／half past two
2:50	two fifty／ten to three（3時10分前）

日 付	
May 25, 2001	May twenty-fifth, two thousand and one
January 1, 2018	January first, twenty eighteen

金 額	
$1.50	one dollar and fifty cents／a dollar fifty
$1,250	one thousand, two hundred and fifty dollars
$10	ten dollars／ten bucks

電話番号／部屋番号	
408-755-6392	four zero eight, seven five five, six three nine two
ext. 1829（内線）	extension one eight two nine
201号室	(room) two zero one
4053号室	(room) four zero five three／forty fifty-three

Part ①

ホームステイ先で

ホストファミリーに手紙を出す

出発前にホストファミリーのネルソンさんへ
宛ててユミコが書いた手紙です。

June 30, 2000

Dear Mr. and Mrs. Nelson,

Thank you very much for having me stay with your family. My name is Yumiko Saito, a 20-year-old university student, studying American literature. I live in Kyoto, which is a beautiful, historic city in Japan.

This will be my very first time to go abroad, so I am both thrilled and a little worried at the same time, but I'm relieved to know that I'll have a family to take care of me when I get there.

I will be arriving at San Francisco Airport at 7 a.m. on July 25, and I was wondering if I could ask you to pick me up at the airport. I will fly by North West and my flight number is NW021.

I look forward to meeting you.

Sincerely,
Yumiko Saito

2000年6月30日

ネルソンご夫妻へ

あなたの家庭でステイさせていただくことになり、とても感謝しています。わたしは斉藤ユミコといい、アメリカ文学を勉強している20歳の大学生です。美しい歴史都市、京都に住んでいます。

外国へ行くのははじめてなので、期待と多少の不安を感じていますが、そちらへ行けば頼りにできるご家族がいるということで心強く思っています。

サンフランシスコ空港に7月25日の朝7時に到着する予定です。空港まで迎えにきていただくことはできますでしょうか。ノースウェスト航空のNW021便です。

お会いできるのを楽しみにしています。

敬具
斉藤ユミコ

お役立ち表現

受け入れていただきありがとうございます	Thank you for letting me stay with your family.
アメリカへ行くのははじめてです	This will be my first time to go to the United States.
ご家族は何人ですか？	How many people are there in your family?
ペットは飼っていますか？	Do you have any pets?
わたしの他にステイする人はいますか？	Will there be other people staying besides me?
空港へ迎えにきてもらえますか？	Will you be able to pick me up at the airport?
ABC カレッジまでどれくらいの時間ですか？	How long does it take from your place to ABC College?
日本人学生の受け入れ経験はおありですか？	Have you ever accepted any Japanese students before?
もうじきお会いできるのが楽しみです	I look forward to meeting you all shortly.
追伸　わたしの写真を同封しました	P.S. I have enclosed a picture of myself.

〈単語〉go overseas ●海外へ行く　　　　shortly ●すぐに
pick … up ●（車で）迎えにいく　　enclose ●同封する
fly ●飛行機で行く　　　　　　　　thrilled ●興奮して
look forward to … ●楽しみに待つ　accept ●受け入れる

おっとうっかり！

「はじめまして」を Nice to meet you. と書いてしまいそうですが、これは実際に相手の人に会ったときのあいさつです。手紙では、It is my pleasure to write to you for the first time. 「はじめてお手紙を差し上げることをうれしく思います」と言えなくもないですが、書き出しは左の例のように Thank you から始めるのがいいでしょう。

空港へ迎えにきてもらう

空港の到着ロビーで、ユミコは迎えにきてくれている
ネルソンさんらしき人を見つけます。

Nice to meet you.
はじめまして

Yumi : Excuse me. Are you William Nelson?
Billy : Yes! You must be Yumiko!
Yumi : Yes. **Nice to meet you**, Mr. Nelson.
Billy : Same here. Welcome to America!

ユ　ミ：失礼ですが、ウィリアム・ネルソンさんですか？
ビリー：イエス！ きみがユミコだね！
ユ　ミ：はい。はじめまして、ネルソンさん。
ビリー：こちらこそ。アメリカへようこそ！

Thank you for picking me up.
迎えにきてくれてありがとう

Yumi : **Thank you for picking me up**, Mr. Nelson.
Billy : No problem! You can call me Billy.
Yumi : All right. You can call me Yumi.
Billy : Yumi, that's easy to remember, like "you, me"!

ユ　ミ：迎えにきてくださってありがとう。
ビリー：お安いご用だよ！ ビリーと呼んでいいよ。
ユ　ミ：はい。わたしはユミと呼んでください。
ビリー：ユミ、それは覚えやすい。You、Me だね。

「よろしく」は Hi. か Nice to meet you. で十分。相手の名前を聞いた後での会話では、Nice to meet you, Mr. Nelson. のように相手の名前を呼ぶと、丁寧かつフレンドリーで英語っぽくなる。

お役立ち表現

ウィリアム・ネルソンさんですか？	Are you William Nelson?
斉藤ユミコです	I am Yumiko Saito.
来てくれてありがとう	Thank you for coming.
迎えに来てくださってありがとう	Thank you for picking me up.
ご親切にありがとう	Thank you for your kindness.
ここに来られてとてもうれしい！	I am really happy to be here!
疲れていますがワクワクしています	I am tired but very excited.
飛行機が遅れました	The flight was delayed.
快適な旅でした	I had a smooth flight.
飛行機が揺れました	I had a bumpy flight.

〈単語〉
same here ●こちらこそ
jet lag ●時差ボケ
airsick ●飛行機に酔って
immigration ●入国審査

customs ●税関
baggage claim area ●荷物受取所
security check ●手荷物検査
foreign exchange ●外貨両替

生活のルールを知る　空港へ迎えにきてもらう

おっとうっかり！

　目上の人をファーストネームや愛称で呼んでいいのは、あくまで「こう呼んでくれ」と言われてから。まず相手をどう呼び、自分をどう呼んでもらうかを確認しましょう。握手 [handshake]、抱擁 [hug]、両頬へのキス [smack] などのスキンシップには「郷に入れば郷に従え」[When in Rome, do as the Romans do.] の精神で！

家族にあいさつする

ホストファミリーの家に着いたユミコは
奥さんのシンディに迎えられます。

May I have your name again?
もう一度お名前を教えてください

Cindy: Hi, Yumiko! I'm Cynthia. Welcome to our family!

Yumi: Thank you, Mrs. Nelson. Very nice to meet you.
May I have your name again?

Cindy: Sure. I'm Cynthia. Call me Cindy. Come on in!

Yumi: Thank you. You have a lovely house!

シンディ：ハイ、ユミコ！シンシアよ。わが家へようこそ！
ユ　ミ：どうもネルソンさん。はじめまして。もう一度お名前を教えてください。
シンディ：わかったわ。シンシアよ。シンディでいいわ。さあどうぞ。
ユ　ミ：ありがとう。すてきなお家ですね！

Please call me Yumi.
ユミと呼んでください

Cindy: Yumiko, come here. Meet my family. This is Tom,
my naughty boy, and this is Linda, my precious.

Linda: Hi!

Tom: Hi, Yumiko!

Yumi: Hi, Tom! Hi, Linda! **Please call me Yumi.**

シンディ：ユミコ、来て。家族を紹介するわ。腕白坊主のトムと、かわいいリンダよ。
リ ン ダ：ハイ！
ト　　ム：ハイ、トム！
ユ　　ミ：ハイ、トム！ハイ、リンダ！ユミと呼んでね。

次々名前を紹介されて覚えきれないときは繰り返し尋ねるか、スペルを書いてもらってもよい。
忘れたら What was your name?「お名前何でしたっけ？」と聞き直す。

お役立ち表現

はじめまして	Very nice to meet you.
自己紹介させてください	Let me introduce myself.
斉藤ユミコといいます	My name is Yumiko Saito.
ユミと呼んでください	Please call me Yumi.
ユミはニックネームです	Yumi is my nickname.
何と呼んだらいいですか？	What should I call you?
もう一度お名前を言ってもらえますか？	May I have your name again?
お名前のスペルは？	How do you spell your name?
書いてもらえますか？	Can you write it down for me?
お名前何でしたっけ？	What was your name?

〈単語〉lovely ●すてきな　　　　　　　nickname ●ニックネーム
　　　　naughty ●腕白な、やんちゃな　　write down ●書きとめる
　　　　precious ●最愛の人、かわいい人　shy ●恥ずかしがりな
　　　　introduce ●紹介する　　　　　　friendly ●愛想のいい

生活のルールを知る　家族にあいさつする

おっとうっかり！

　William Nelson に敬称をつけると Mr. Nelson または Mr. William Nelson。Mr. William とファーストネームに敬称はつけません。Cynthia の場合は Mrs. Nelson 、正式には Mrs. William Nelson。Mrs. Cynthia Nelson もアメリカでは一般的です。Mrs. は Mr's（Mr. の夫人）という意味が問題視され、未婚（Miss）と既婚で区別せず Ms. とも呼びます。

自分の部屋に案内される

ユミコは滞在中使う部屋を、
シンディに案内してもらいます。

I like it very much!
気に入りました！

Cindy: Come on, I'll show you around the house. This is your room.

Yumi: Oh, it's pretty! Is the room all for me?

Cindy: Yes, it is. Do you like it?

Yumi: Yes, **I like it very much!**

シンディ：さあ、家の中を案内するわ。あなたのお部屋はここよ。
ユ　ミ：わっ、きれい！これ個室ですか？
シンディ：そうよ。気に入った？
ユ　ミ：ええ、とっても！

Where can I put my clothes?
服はどこにしまったらいいですか？

Yumi: **Where can I put my clothes?**

Cindy: You can hang your coat in this wardrobe and put your other clothes in this chest.

Yumi: Thank you. Can I have some more hangers?

Cindy: I'll bring them down for you.

ユ　ミ：洋服はどこにしまったらいい？
シンディ：コートは洋服ダンスにかけて、他の服はこのタンスにしまうといいわ。
ユ　ミ：ありがとう。ハンガーをもっとほしいのですが。
シンディ：後で持ってきてあげるわ。

衣服は clothes（発音：クロウズ）と常に複数形で表現。cloth（発音：クロース）は布や布巾を意味。洋服ダンスは wardrobe または closet ともいう。

お役立ち表現

この部屋は共用でしょうか？	Do I share this room?
お手洗いを使いたいんですが	*Can* May I use the bathroom?
市街図を貸してもらえますか？	May I borrow the city map?
何か飲み物をもらえますか？	Can I have something to drink?
ちょっと横になりたいんですが	I'd like to have a lie-down.
まず少し休みたいです	I'd like to take a rest first.
まず荷ほどきをしたいです	I'd like to unpack first.
* ごゆっくりどうぞ	Take your time.
おみやげがあります	This is a present for you.
気に入ってもらえるといいんですが	I hope you like it.

〈単語〉show ... around ●案内する　unpack ●荷物をとく
take a rest ●休憩する　clothes ●衣服
take one's time ●ゆっくりする　wardrobe ●洋服ダンス
have a lie-down ●ちょっと横になる chest ●タンス

おっとうっかり！

　欧米でははじめて訪問する家におみやげを持っていくという習慣はありません。お礼の気持ちは、カードやクリスマスプレゼントの形で帰国後に示すほうが自然です。滞在中に話がはずむような写真や雑貨や食品などを持っていくことをおすすめします。どうしても持っていきたい場合も、高価なものはかえって不思議に思われます。

わからないことを聞き返す

シンディの言っていることが
よく聞き取れないので確認します。

What do you mean?
どういう意味ですか？

Cindy: Would you like to freshen up, Yumi?
Yumi: **What do you mean?**
Cindy: I mean, would you like to take a shower or change clothes?
Yumi: Oh, I see. I'd just like to wash my hands.

シンディ: さっぱりしたいんじゃない、ユミ？
ユ ミ: どういう意味ですか？
シンディ: つまり、シャワーを浴びるとか着替えるとかしたい？ってこと。
ユ ミ: ああ、わかりました。手だけ洗いたいです。

My English is not good enough yet.
英語はまだまだです

Cindy: Yumi, you speak good English.
Yumi: Thank you, Cindy. But **my English is not good enough yet.**
Cindy: Do I speak too fast for you?
Yumi: No, you speak just fine.

シンディ: ユミ、英語うまいじゃない。
ユ ミ: ありがとう、シンディ。でもまだまだよ。
シンディ: わたし早口すぎる？
ユ ミ: いいえ、大丈夫。

多少の英語を話すと褒められたりするが、I can't speak English.「全然！」などと謙遜しすぎない。素直に Thank you. と言ってから、I only speak a little English.「少しだけね」と答える。

お役立ち表現

何ですか？ （聞き返すとき）	Excuse me?
何ですか？ （聞き返すとき）	Pardon? ／ I beg your pardon?
すみません、何とおっしゃいました？	I'm sorry, what did you say?
もう一度言ってもらえますか？	Can you say that again, please?
もう少しゆっくり話してもらえますか？	Can you speak more slowly, please?
それはどういう意味ですか？	What do you mean by that?
話についていけません	I don't follow you.
何て言えばいいのでしょう？	How should I put it?
おわかりでしょうか？	Am I making sense?
言いたいことがおわかりですか？	Do you understand what I'm trying to say?

〈単語〉 freshen up ●さっぱりする　　　　　put ●表現する、言う
　　　　feel refreshed ●気分がすっきりする make sense ●意味をなす
　　　　change clothes ●着替えをする　　　pardon ●許し
　　　　follow ●話についていく　　　　　　beg ●お願いする

おっとうっかり！

　相手の言ったことの一部が理解できなかったとき、例えば、I like PE. という言葉に対して、You like what? と不明瞭な部分だけを疑問詞に言い換えて聞くこともできます。相手の言っていることがわからないのは恥ずかしいことではなく、わかった振りをしてごまかしてしまうほうが恥ずかしいこと。わかるまで聞き返す習慣をはじめから身につけましょう。

食事と入浴について聞く

食事は何時から？
おふろやシャワーはどう使えばいいのかな？

What time do you usually have dinner?
夕食はふつう何時ですか？

Yumi : **What time do you usually have dinner?**

Cindy : We normally eat around seven thirty.

Yumi : What about breakfast?

Cindy : It depends on the person. I can make you
breakfast if you want to eat with me around seven.

ユ　　ミ：夕食はふつう何時？

シンディ：ふつうは 7 時半くらいよ。

ユ　　ミ：朝食は？

シンディ：それぞればらばらなの。7 時ごろいっしょに食べるならつくってあげるわ。

Can I take a shower at night?
夜シャワーを浴びてもいいですか？

Yumi : How often can I take a bath?

Cindy : Maybe once or twice a week. Will that be all right
for you?

Yumi : Yes. **Can I take a shower at night?**

Cindy : Of course, you can. Conserve water, though.

ユ　　ミ：入浴はどれくらいできますか？

シンディ：1 週間に 1 ～ 2 回かな。それでいい？

ユ　　ミ：はい。夜シャワーを浴びてもいいですか？

シンディ：もちろんよ。でも、水は大切にしてちょうだいね。

---

depend on... は「～を頼りにする」と「～によって異なる」のふたつの意味がある。It
depends. や That depends. の形で「ときと場合によりけり」の意味でよく使われる。

お役立ち表現

冷蔵庫に自分の食品を入れていいですか？	Can I keep my food in the fridge?
冷蔵庫の中のものを食べていいですか？	Can I eat what's in the fridge?
冷蔵庫のオレンジジュースを飲んでもいい？	Can I drink the O.J. in the fridge?
コーヒーメーカーを使っていいですか？	Can I use the coffee maker?
お昼にサンドイッチをつくっていいですか？	Can I make a sandwich for lunch?
お湯はどうやって沸かすのですか？	How do I boil water?
朝食には紅茶を飲みたいのですが	I'd like to have tea for breakfast.
朝食は食べません。コーヒーだけで	I don't eat breakfast. I'll have coffee.
おふろに入っていいですか？	May I take a bath now?
シャワーの時間はどのくらいまで？	How long can I take a shower?

〈単語〉what about … ? ●～についてはどう？　fridge [= refrigerator]●冷蔵庫
　　　　take a bath ●おふろに入る　　　　　　cereal ●シリアル
　　　　take a shower ●シャワーを浴びる　　　sunny-side up ●（片面）目玉焼き
　　　　conserve ●節約して使う　　　　　　　over easy ●（両面）目玉焼き

おっとうっかり！

欧米では朝シャワーを浴びる人が多く、バスも毎日入るわけではありません。また、水は貴重なので、シャワーの時間制限があるかもしれません。食事も家庭によりますが、一般に質素な場合が多いようです。朝食はシリアルと飲み物など、簡単なものを自分で用意するように言われることもあるでしょう。ホテルではないのです。家庭のルールを尊重しましょう。

洗濯と掃除について聞く

洗濯や掃除はどうすればいいのかな？
自分でするのか確めておかないと。

Can I use the washer and drier?
洗濯機と乾燥機を使っていいですか？

Yumi: **Can I use the washer and drier?**

Cindy: Sure. I usually do the laundry on Tuesday. So, if
you want me to wash your clothes, leave them
in the laundry basket right here.

Yumi: Don't you mind?

ユ　　ミ：洗濯機と乾燥機を使っていい？

シンディ：いいわよ。洗濯はたいてい火曜日にするから、いっしょに洗ってほしかっ
たら洗濯かごの中に入れておいて。

ユ　　ミ：いいんですか？

Where is the vacuum cleaner?
掃除機はどこですか？

Yumi: Cindy, **where is the vacuum cleaner?** I want to
clean my room.

Cindy: It's right over there. But you don't really have to. I
vacuum the whole house once a week.

Yumi: Oh, OK.

ユ　　ミ：シンディ、電気掃除機はどこ？ 部屋の掃除をしたいの。

シンディ：そこにあるわ。でも無理にしなくていいのよ。毎週わたしが家中に掃除機
をかけるから。

ユ　　ミ：わかった。

Don't you mind? 、You don't mind? は「構わないのか？ いいのか？」と相手の意向や厚意
を確認する表現。do the laundry「洗濯をする」、do the dishes「食器を洗う」。

お役立ち表現

洗濯は自分でしたほうがいいですか？	Should I do the laundry by myself?
部屋に掃除機をかけたほうがいいですか？	Should I vacuum my room?
洗剤は自分で買うんですか？	Do I have to buy my own detergent?
洗濯機と乾燥機の使い方を教えてください	Can you tell me how to use the washer and drier?
洗濯物はどこに干したらいいですか？	Where can I hang my laundry?
バスルームで下着を洗っていいですか？	Can I wash my underwear in the bathroom?
ベッドメーキングの仕方を教えてください	Can you tell me how to make the bed?
すぐに片付けます	I will clean up the mess right now.
散らかしてすみません	I'm sorry my room is in such a mess.
整とんは明日やります	I will tidy the room up tomorrow.

〈単語〉washer and drier ●洗濯機と乾燥機 detergent ●洗剤
laundry ●洗濯物、洗濯室　　　　clean up ●きれいにする
laundry basket ●洗濯かご　　　　mess ●散らかっている状態
vacuum ●掃除機をかける　　　　tidy up ●片付ける

おっとうっかり！

　アメリカ人は週に一度まとめて洗濯するのが一般的。洗濯物はたいてい乾燥機で乾かすのでもともと干し場がない場合も。洗濯を自分でするのか家族の分といっしょにしてもらうのかはケースバイケース。下着だけは自分で洗いたい人は洗う場所や干し方を確認しましょう。自室は整理整とんを心がけ、毎朝のベッドメーキングはお布団を畳むのと同じことで必須。

生活のルールを知る　洗濯と掃除について聞く

ゴミの分別と喫煙について聞く

ゴミはどのように分別するのかな？
タバコは部屋の中で吸ってもいいのかな？

Where can I take the trash out?
ゴミはどこに出せばいいですか？

Y u m i : Tom, **where can I take the trash out?**

T o m : There are containers in the front yard over here.

Y u m i : Do you recycle bottles and cans?

T o m : Yeah. You can put bottles in this container,
aluminum cans in this one.

ユ　　ミ：トム、ゴミはどこに出せばいいの？
ト　　ム：前庭のここにゴミ容器があるから。
ユ　　ミ：空き瓶や空き缶はリサイクルしてる？
ト　　ム：うん。ビンはここ、アルミ缶はここに入れてね。

Do you mind if she smokes?
彼女がタバコを吸ってもいいですか？

Y u m i : Cindy, a friend of mine is coming. **Do you mind if
she smokes?**

C i n d y : Actually, yes. Tell her not to smoke in the house.

Y u m i : Can she smoke in the backyard?

C i n d y : Only if she brings a portable ashtray with her.

ユ　　ミ：シンディ、友達が来るんだけど、タバコを吸ってもいいかな？
シンディ：ダメよ。友達には、家の中で吸わないように言ってちょうだい。
ユ　　ミ：裏庭だったら吸ってもいい？
シンディ：携帯灰皿を持ってくればね。

> Do you mind?「（〜したら）迷惑か？」は相手の賛否を問う表現。ここでの Do you mind if
> she smokes?「彼女がタバコを吸うと迷惑か？」に対しては、嫌なら yes 、構わなければ no 。

お役立ち表現

空き瓶空き缶はリサイクルしていますか？	Do you recycle bottles and cans?
紙とプラスチックを分別していますか？	Do you separate paper and plastics?
生ゴミ入れはどちら？	Where is the garbage can?
ゴミ収集は週に何回ですか？	How often does the garbageman come?
ディスポーザーはどうやって使うのですか？	How do you use the disposer?
生理用ナプキンはどうしたらいいですか？	What do I do with sanitary napkins?
タバコを吸っていいですか？	Do you mind if I smoke?
部屋でタバコを吸ってもいいですか？	May I smoke in my room?
裏庭でタバコを吸ってもいいですか？	May I smoke in the backyard?
タバコはやめました	I quit smoking.

〈単語〉take the trash out ●ゴミを出す　　garbage can ●生ゴミ入れ
　　　backyard ●裏庭　　　　　　　garbageman ●ゴミ収集人
　　　portable ashtray ●携帯灰皿　　disposer ●ディスポーザー
　　　separate ●分別する　　　　　　sanitary napkin ●生理用ナプキン

おっとうっかり！

　紙くずなどの乾いたゴミは trash 、台所の生ゴミは garbage 、ゴミ収集は garbage collection 、ゴミ捨て禁止は No dumping. または No litter. と書かれています。アメリカの流し台 [sink] の排水口 [drain] にはディスポーザー [a (garbage) disposer] がついていることがあり、細かい生ゴミを粉砕して下水に流しています。

Do you have curfew?
門限はありますか？

Yumi : What time do you get up, Billy?

Billy : I am an early bird. Have you ever heard of "the early bird catches the worm"?

Yumi : Yes. But I'm a night person. **Do you have curfew?**

Billy : Yes. It's ten o'clock on a school night, and eleven on weekends.

ユ　ミ：ビリーは何時に起きるの？

ビリー：ぼくは早起きだよ。「早起きは三文の得」って知ってる？

ユ　ミ：ええ。でもわたしは夜型なのよね。門限はあるのですか？

ビリー：ああ。学校の前の日は 10 時、週末は 11 時だよ。

Are there any other rules?
他に決まりごとはありますか？

Yumi : **Are there any other rules?**

Billy : Well, don't be late for meals and keep your room clean. Tell us if you have a problem.

Yumi : Sure, I will.

ユ　ミ：他に守らなければならない決まりはありますか？

ビリー：そうだな、食事に遅れないこと、部屋をきれいにしておくことだな。困ったことがあったら何でも言ってくるんだよ。

ユ　ミ：そうします。

---

curfew は「夜間外出禁止令」のことだが、「門限」の意味でも使われる。school night は学校のある前の晩、weekend はふつう金曜の夜から。

お役立ち表現

門限は何時ですか？	What time is my curfew?
10時じゃ少し早すぎます。10時半じゃだめ？	Ten o'clock is a little too early. Can you make it ten thirty?
今夜は8時ごろ帰宅します	I will come home around eight tonight.
夕食をとっておいてもらえますか？	Could you save some dinner for me?
家のかぎを貸してもらえますか？	Could I borrow a key to the house?
子どもたちは何時に寝ますか？	What time do the kids go to bed?
ちょっとひとりでいたいんです	I'd like some privacy now.
今少し忙しいんです	I am kind of busy right now.
宿題をしなければ	I've got some homework to do.
いつでも入ってきてください	You can come in any time.

〈単語〉early bird ●早起きする人
curfew ●門限、夜間外出禁止令
door lock ●ドアのかぎ
knock on the door ●ノックする

Rise and shine.●「起きて、朝だよ」
Sleep tight.●「ぐっすりおやすみ」
Don't let the bedbugs bite.●「トコジラミにかまれないように」（寝るとき子どもに）

おっとうっかり！

　起床や就寝時間を完全に合わせないまでも、家族の一員として深夜の帰宅や騒音には注意。自室のドアを閉めておくと閉鎖的だととられる場合もありますが、一方でプライベートの時間や空間も必要です。ノックは忘れずに。ドアが開いているときには knock, knock「コンコン」と口で言ってもOK。ただしバスルームをノックするとせかしていると思われます。

学校への行き方を確認する

カレッジまでの行き方を事前に確認しておきます。
バスに乗ればいいのかな。他の行き方もあるのかな。

How can I get to ABC College?
ABC カレッジにはどう行けばいいですか?

Y u m i : Billy, **how can I get to ABC College?**
B i l l y : You can take a bus or you can ride a bike.
Y u m i : How far is it from here?
B i l l y : I guess it's just about fifteen minutes by bus or thirty minutes by bike.

ユ　ミ：ビリー、ABC カレッジへはどう行けばいいの?
ビ リ ー：ああ。バスに乗るか、自転車でも行けるよ。
ユ　ミ：ここからどれくらいなの?
ビ リ ー：バスなら 15 分、自転車なら 30 分ってとこかな。

Where's the nearest bus stop?
最寄りのバス停はどこですか?

Y u m i : I'd like to take a bus, because I'm not familiar with the city yet. **Where's the nearest bus stop?**
B i l l y : Do you know where the post office is?
Y u m i : Yes.
B i l l y : The bus stop is opposite the post office.

ユ　ミ：まだ町をよく知らないからバスにします。最寄りのバス停はどこ?
ビ リ ー：郵便局の場所はわかる?
ユ　ミ：ええ。
ビ リ ー：バス停は郵便局の向かいにあるよ。

---

get to school「学校に到着する」be familiar with ... は「〜をよく知っている」。I am familiar with the city. は I know the city very well. と同じこと。

お役立ち表現

学校へはどうやって行くのですか？	How can I get to school?
学校まで歩いて行けますか？	Can I walk to school?
学校までバスで行けますか？	Can I go to school by bus?
学校まで自転車で行けますか？	Can I go to school by bike?
この辺にカープールはありますか？	Is there a car pool around here?
ここからどれくらいの距離ですか？	How far is it from here?
ここからどれくらいかかりますか？	How long does it take from here?
どんな建物ですか？	What does it look like?
地図を書いてくれますか？	Would you draw me a map, please?
最寄りの駅はどちら？	Where is the nearest train station?

〈単語〉bike ●自転車 [= bicycle]　　　　car pool ●会社、学校まで車を相乗りする場所
　　　　familiar ●よく知っている　　　　[train] station ●駅
　　　　bus stop ●バス停　　　　　　　　transportation ●交通、交通機関
　　　　opposite ●反対側に　　　　　　　traffic jam ●交通渋滞

おっとうっかり！

　自分で運転しない乗り物に乗るときは take を使って、take a bus（バスに乗る）、take a train（電車に乗る）と言います。自分で運転するものに乗るときは ride を使って、ride a bike（自転車に乗る）、ride a car（車に乗る）と言います。bike は bicycle（自転車）の意味でよく使われますが、motorcycle（オートバイ）の意味で用いることもあります。

生活のルールを知る　学校への行き方を確認する

家族と食事をする

ホストファミリーといっしょにとる
はじめての夕食です。

I like it.
おいしいです

Cindy : Yumi, is there anything you don't like to eat?

Yumi : Not that I know of. But, what is this?

Cindy : Oh, it's a pickle-herring. Do you like it?

Yumi : Yeah, **I like it.** But, it's a little salty, I guess. Can I have some more?

シンディ：ユミ、何か嫌いなものはある？
ユ　ミ：ないわ。でも、これは何？
シンディ：ああ、それは塩漬けにしんよ。どう？
ユ　ミ：うん、おいしい。ちょっと塩辛いけど。もう少しもらえる？

Thank you.
ごちそうさま

Yumi : **Thank you,** Cindy. I'm full.

Cindy : What do you usually eat for supper at home?

Yumi : We usually eat fish or meat with veggies, rice and miso soup. It's a typical Japanese meal.

Cindy : Uh-huh.

ユ　ミ：ごちそうさま、シンディ。おなかいっぱい。
シンディ：家ではふつう夕食は何を食べるの？
ユ　ミ：お魚かお肉に野菜、それとごはんとみそ汁。これが典型的な日本食。
シンディ：そうなの。

Not that I know of. は「自分の知っている限りでは、ない」の意味で、Not to my knowledge. と同じ意味。

お役立ち表現

食べ物の好き嫌いはありません	I'm not choosy about food.
魚はあまり好きではありません	I don't like fish very much.
これはあまり好きではないのですが	I'm sorry but I don't really like it.
こんなに食べられません。多すぎます	I can't eat this much. This is too much.
もう少しもらえます？	Can I have some more?
甘い食べ物はとりません。ダイエット中です	I don't eat sweets. I'm on a diet.
コショウをとってください	Can you pass the pepper, please?
パンをもう一切れください	Can I have another piece of bread?
おしょうゆをかけてもいいですか？	Do you mind if I use soy sauce?
油っこいものを食べると胸焼けします	Oily food gives me heartburn.

〈単語〉typical ●典型的な、代表的な　　on a diet ●ダイエット中
　　　　full ●満腹な　　　　　　　　soy sauce ●しょうゆ
　　　　salty ●塩辛い　　　　　　　oily ●油っこい
　　　　choosy ●好き嫌いの激しい　　heartburn ●胸焼け

おっとうっかり！

　「いただきます」の代わりに食前のお祈り [grace] があるかもしれません。「ごちそうさま」の代わりは Thank you. でいいでしょう。おいしかったときには、It was delicious.「おいしかったです」、または I enjoyed it a lot. と言います。食べ物の好みは正直に、I like it.「好き」、I don't like it.「嫌い」、It's okay.「ふつう」を言っておかないと後にひびきます。

家族と親しくなるために　家族と食事をする

ホストファミリーとの団らんのひととき。
ユミコの家族や故郷の話題になりました。

There are four of us.
4 人家族です

B i l l y : How many people are there in your family?

Y u m i : **There are four of us.** My father is an engineer at ABC Electronics and my mother is a housewife.

B i l l y : Do you have any brothers or sisters?

Y u m i : I have a brother who goes to junior high school.

ビ リ ー：ユミは何人家族なの？
ユ　　ミ：4 人よ。父は ABC 電子のエンジニアで母は主婦なの。
ビ リ ー：兄弟は？
ユ　　ミ：中学生の弟がひとり。

I was born in Osaka.
生まれは大阪です

C i n d y : You're from Kyoto, right? Were you born in there?

Y u m i : No, **I was born in Osaka.** My father was transferred to Kyoto when I was a baby.

C i n d y : Osaka is a big city, isn't it?

Y u m i : Yes. It is famous for Osaka Castle.

シンディ：京都から来たのよね。生まれも京都？
ユ　　ミ：いいえ、大阪よ。わたしが赤ちゃんのとき、父が京都へ転勤になったの。
シンディ：大阪って大きな都市でしょ？
ユ　　ミ：ええ、大阪城で有名よ。

兄は a big brother 、弟は a little brother 、姉は a big sister 、妹は a little sister などとも言
うが、英語では年の上下に関係なく兄や弟は a brother 、姉や妹は a sister と言うことが多い。

お役立ち表現

5人家族です	There are five people in my family.
写真をお見せしましょうか	Would you like to see some pictures?
父は建設関係の仕事をしています	My father is in the construction business.
母は高校の非常勤講師です	My mother is a part-time teacher in high school.
兄は結婚していて子どもがひとりいます	My brother is married and has a kid.
京都で育ちました	I was brought up in Kyoto.
金閣寺の近くに住んでいます	I live near Kinkakuji temple.
大学に進学したとき東京に移りました	I moved to Tokyo when I entered university.
大阪は商人の町として知られています	Osaka is known as a city of merchants.
大阪城で有名です	It is famous for Osaka Castle.

〈単語〉 junior high school ●中学　　　　　senior high school ●高校
　　　　 transfer ●移動する　　　　　　 elementary school ●小学校
　　　　 be famous for ... ●〜で有名　　　brother-in-law ●義理の兄弟
　　　　 be known for ... ●〜で知られている sister-in-law ●義理の姉妹

おっとうっかり！

　My father is an office worker.「父は会社員です」では具体性に欠けます。He works for XYZ.「XYZ に勤めています」と勤務先だけより He's a sales rep at XYZ.「XYZ の営業職です」のほうがより具体的。外国で自分の出身地について話すとなると何を言おうかと戸惑うものですが、難しく考えないで日本人ならだれでも知っていることでかまいません。

家族と親しくなるために　自分の家族や出身地について話す

今日あったことを話す

今日一日のできごとを話したり、
ちょっと聞いてほしいことがあったりするユミコです。

I had a blast today!
今日は楽しかった！

B i l l y : How was your day at school, Yumi?
Y u m i : **I had a blast today!**
B i l l y : Great! What did you do?
Y u m i : I took a half-day city tour in the afternoon. It was
cool!

ビ リ ー：ユミ、今日、学校はどうだった？
ユ　　ミ：今日は最高だった！
ビ リ ー：そう！ 何があったの？
ユ　　ミ：午後に半日市内ツアーに参加したんだけど、すっごく楽しかった！

Can I talk with you?
お話しできますか？

Y u m i : Cindy, **can I talk with you?**
C i n d y : Sure. What is it?
Y u m i : I am paired with a boy in class and we have a
project to finish by tomorrow. Can I call him to
come over here?

ユ　　ミ：シンディ、ちょっといいかな。
シンディ：いいわよ。どうしたの？
ユ　　ミ：クラスの男の子と組んで明日までに課題を完成させなきゃいけないの。電
話してこっちへ来てもらってもいいかな？

「楽しい」や「かっこいい」の意味で、口語では cool 、awesome 、great 、neat 、terrific な
どがよく使われる。

お役立ち表現

今日はとても楽しかったです	I had a great time today.
今日はひどい一日でした	I had a terrible day.
今日とてもおもしろい女の子に会いました	I met a very interesting girl today.
教育実習生と話したのが楽しかったです	I enjoyed talking with interns.
その人との意思疎通に苦労しました	I had trouble communicating with the man.
警官に呼び止められました	I was stopped by a policeman.
バスに乗り間違えて迷子になりました	I got on the wrong bus and I got lost.
メアリーが買い物へ連れていってくれました	Mary took me to the shopping mall.
放課後買い物に行きました	I went shopping after school.
お願いがあるのですが	Would you do me a favor?

〈単語〉have a blast ●楽しいときを過ごす　communicate ●意思を通じさせる
cool ●楽しい、かっこいい　intern ●教育実習生
project ●（学校の）課題　get lost ●迷子になる
shopping mall ●ショッピングモール　after class ●授業の後で

家族と親しくなるために　今日あったことを話す

おっとうっかり！

「ただいま」に代わる英語のあいさつは、Hi.（もっとも一般的）、I'm home.（ただし、相手を目の前にして言うと、家に帰っていることは見てわかるので少し変になる）。だれも出てこないときは、Anybody home?「だれもいないの？」と聞きます。「行ってらっしゃい」に代わるあいさつは、See you!、または Have a nice day! 。

家事や料理を手伝う

ビリーやシンディが忙しそうにしているのを見たら、
お手伝いのチャンスです。

How can I help you?
どうすればいいですか？

B i l l y : Yumi, give me a hand, will you?
Y u m i : **How can I help you,** Billy**?**
B i l l y : Hold this hose. I'm going to turn off the water.
Y u m i : Sure thing.

ビ リ ー：ユミ、ちょっと手を貸してくれる？
ユ　　ミ：な～に、ビリー？
ビ リ ー：このホースを持ってて。水を止めてくるから。
ユ　　ミ：まかせて。

Can I give you a hand?
手伝いましょうか？

Y u m i : Cindy, **can I give you a hand?**
C i n d y : Oh, you are so sweet, Yumi. Do you want to peel
potatoes?
Y u m i : Okay. I can do that. You use a small knife!
C i n d y : Oh, yeah?

ユ　　ミ：シンディ、手伝いましょうか？
シンディ：ありがとう、ユミ。ジャガイモの皮をむいてくれる？
ユ　　ミ：オーケー。お安いご用よ。小さい包丁ね！
シンディ：あら、そう？

---

do you want to ...? や would you like to ...? は「～したいか？」と尋ねるだけでなく「～して
くれる？」と頼むときにも使う。sweet は「やさしい」の意味でよく使われる。

お役立ち表現

手伝いましょうか	Can I help?
手伝いましょうか？	Can I give you a hand?
何をしましょうか？	What can I do for you?
洗車の手伝いをしましょうか？	Can I help you wash the car?
洗濯を手伝いましょうか？	Can I help you with the laundry?
芝刈りを手伝いましょうか？	Shall I help you mow the grass?
皿洗いを手伝いましょうか？	Do you want me to do the dishes?
皿洗い機を使ってもいいですか？	Can I use the dishwasher?
テーブルのセットをしましょうか？	Do you want me to set the table?
食器棚からお皿を出しましょうか？	Shall I take out the plates from the cupboard?

〈単語〉give ... a hand ●～に手を貸す　　　mower ●芝刈り機
turn off ●（水、テレビなどを）止める　do the dishes[= wash the dishes]●皿を洗う
peel ●皮をむく　　　　　　　　　　　dishwasher ●皿洗い機
mow the grass ●芝を刈る　　　　　　　cupboard ●食器棚

おっとうっかり！

　家事や料理を手伝うかどうかは自由意思。義務や規則ではありませんが、ホームステイの意義を考えると、手伝いをすることは他国の生活の一端に触れるチャンス。何げない日常生活の中に異文化の発見が潜んでいます。もし邪魔なようだったり、手伝いはいいと言われても、そばで見たり、話をすることからも学べます。DIY[do-it-yourself] も盛んです。

家族と親しくなるために　家事や料理を手伝う

迷惑をかけたので謝る

ユミコはホストファミリーに謝らなければなりません。
うまく気持ちが伝わるかな。

I have something to tell you.
話があるんです

Yumi : Tom, **I have something to tell you.**
Tom : What is it?
Yumi : I spilled coffee on your bag. I am so sorry.
Tom : Don't worry, Yumi. I'm sure I can get the stain off.

ユ　ミ：トム、ちょっと話があるんだけど。
ト　ム：何？
ユ　ミ：あなたのバックにコーヒーをこぼしちゃったの。ごめんなさい。
ト　ム：大丈夫だよ。しみは落ちると思うよ。

I am so sorry but I can't.
ごめんなさい、でもできないのです

Yumi : Cindy, I'm sorry but I can't baby-sit Linda today.
Cindy : But you said you could.
Yumi : **I am so sorry but I can't.** Something came up.
Cindy : Well, then I have to find someone else.

ユ　ミ：シンディ、悪いんだけど今日リンダのベビーシッターができなくなったの。
シンディ：できるって言ってたじゃない。
ユ　ミ：ごめんなさい、でもできないんです。ちょっと用事ができて。
シンディ：そう、じゃあ他の人を探さなきゃね。

---

something came up は具体的に内容を言わずに「用事ができた」の意味。アメリカでは11
歳までの子どもを残して外出するときにはベビーシッターが必要。

お役立ち表現

ごめんなさい、でも知りませんでした	I'm sorry but I didn't know.
すみません、電話すべきでした	I'm sorry, I should have called.
すみません、つい遅くなって	I'm sorry, I lost track of time.
許してください	Please accept my apologies.
弁解はしません	I have no excuse.
すべてわたしのせいです	It is all my fault.
本当にすみません	I feel so terrible.
とても情けないです	I feel so stupid.
埋め合わせはします	I will make it up to you.
買って返したいのです	I want to buy another one for you.

〈単語〉 spill ●こぼす   lose track of time ●時間（の経過）を忘れる
 lost ●なくした   make it up ●埋め合わせをする
 broke ●こわした   apology ●わび
 something came up ●用事ができた   compensate ●弁償する

おっとうっかり！

　謝るということは。自分の非を認めて必要ならば責任を負うということです。I'm sorry.「ごめんなさい」はけっして軽い言葉ではありません。謝ればことは済む、という日本人の感覚で発する「ごめんね」とは意味が異なります。悪いことをしたら謝るのは当然ですが、自分が悪くないのに謝ることはないのです。

家族と親しくなるために　迷惑をかけたので謝る

誘いを断る

ホストファミリーにせっかく誘ってもらっても、
断らなければならないときもあります。

I'm sorry I'm kind of busy now.
ごめんなさい、今忙しいんです

Linda : Yumi, wanna play?

Yumi : **I'm sorry I'm kind of busy now,** Linda.

Linda : Do you want to play when you are not kind of busy?

Yumi : Sure. Let's play later.

リ ン ダ：ユミ、あそばない？
ユ　　ミ：ごめんね、今ちょっと忙しいの、リンダ。
リ ン ダ：こんどあんまりいそがしくないときには、いっしょにあそぶ？
ユ　　ミ：ええいいわ。後で遊びましょうね。

Thank you for asking.
誘ってくれてありがとう

Billy : Yumi, would you like to go to the movies with us tonight?

Yumi : I'd love to, but I've got to do my assignment.

Billy : All right. Maybe some other time.

Yumi : Yes. **Thank you for asking.**

ビ リ ー：ユミ、今晩いっしょに映画へ行かない？
ユ　　ミ：行きたいんだけど宿題があるの。
ビ リ ー：そう。じゃあまた今度ね。
ユ　　ミ：ええ。誘ってくれてありがとう。

---

some other time は「また今度」「いつかそのうち」。kind of 、sort of は「ちょっと」「何とな
く」の意味でよく使われる表現。

お役立ち表現

他にすることがあります	I've got something else to do.
他の約束があります	I have another appointment.
先約があります	I have a prior engagement.
今夜は出かけたくありません	I don't feel like going out tonight.
また今度誘ってくれますか？	Can I get a rain check?
そういうことは好きじゃありません	I don't like that kind of thing.
そういう気分じゃありません	I'm not in the mood (for that).
少し取り込み中です	I am in the middle of something.
今日は頭痛がします	I have a headache today.
そんなお金がありません	I don't have enough money for that.

〈単語〉assignment ●宿題
appointment ●約束、アポ
prior ●以前の
engagement ●約束、契約

feel like … ing ●〜したい
rain check ●雨天中止の際の振り替え券
in the mood for … ●〜の気分
in the middle of … ●〜の最中

おっとうっかり！

　I'd love to. は誘いを断るときと、誘いに乗るときの両方に使う表現です。例えば、Would you like to come?「来ませんか？」という誘いに対して、断るときは I'd love to, but I can't.「そうしたいんだけど、行けない」、誘いに乗るときは、I'd love to.「喜んで」の意味になります。

家族と親しくなるために　誘いを断る

スーパーへ行く

Where can I find the Deli?
総菜のコーナーはどこですか？

Yumi : **Where can I find the Deli?**

Cindy : It's in the corner on the left. Do you see anything you like?

Yumi : Yes, these meat balls look delicious.

Cindy : Maybe we can have them for dinner. Can I have a pound of meat balls, please?

ユ　　ミ：総菜のコーナーはどこ？

シンディ：左の角よ。何か好きなものはある？

ユ　　ミ：ええ、このミートボールおいしそう。

シンディ：それじゃ、夕飯に食べましょう。ミートボールを 1 ポンドください。

I'd like to have this film developed.
現像してもらいたいのですが

Yumi : **I'd like to have this film developed.**

Clerk : Sure. Put your roll in this envelope, please.

Yumi : I see. When will it be ready?

Clerk : The day after tomorrow.

ユ　　ミ：このフィルムを現像してほしいのですが。

係　　員：その封筒にフィルムを入れてください。

ユ　　ミ：いつ仕上がりますか？

係　　員：明後日です。

スーパーマーケットは supermarket または grocery store（後のほうがよく使われる）。「〜をください」は Can I have ...？と言いますが、A pound of meat balls, please . でも大丈夫。

お役立ち表現

スーパーへ行きたいのですが	I'd like to go to the grocery store.
食料品を買いたいのですが	I'd like to buy some groceries.
果物が食べたいのですが	I'd like to eat some fruit.
アメリカのお菓子を食べてみたいのですが	I'd like to try some American snacks.
日本の食べ物は売っていますか？	Do you sell any Japanese food?
鮮魚売り場はどちら？	Where can I find fresh fish?
シャンプーを探しています	I'm looking for some shampoo.
グリーンサラダを半ポンドください	Can I have half a pound of green salad, please?
ローストビーフを2ポンドください	Can I have two pounds of roast beef, please?

〈単語〉grocery store ●スーパーマーケット
grocery ●食品雑貨
deli [= delicatessen]●総菜
produce ●農産物、野菜や果物
dairy ●乳製品
poultry ●鶏肉
refrigerated ●生鮮食品

checkout counter ●支払いカウンター、レジ
cashier ●レジ係
sales tax ●消費税
daily necessities ●日用品
cart ●カート
Express ● 10品目以下用レジ（現金支払いのみの場合が多い）

おっとうっかり！

　果物や野菜はパックされていないことが多く、好きな分量だけ買えます。値札は $1.20/lb.（1ポンド当たり1ドル20セント、lb.＝ポンド）、$.50/oz.（1オンス当たり50セント、oz.＝オンス）など単位価格で表示。1ポンド＝約454グラム、1オンス＝16分の1ポンド＝約28グラム。日本食品は Oriental Food、Asian Food コーナーなどにあります。

家族と親しくなるために　スーパーへ行く

テレビを見る

ファミリーといっしょにテレビを見たいユミコ。
聞き取りができるか心配です。

May I turn the TV on?
テレビをつけてもいいですか?

Yumi : **May I turn the TV on?**

Tom : Sure. This show is very interesting.

Yumi : It's difficult to understand.

Tom : Don't worry. You can watch the English subtitles here. It's called closed caption.

ユ　ミ：テレビをつけてもいい?

ト　ム：もちろん。この番組とてもおもしろいよ。

ユ　ミ：わかるかなあ。

ト　ム：心配ないよ。英語の字幕がここに出るから。クローズドキャプションだよ。

What TV programs do you like?
どんなテレビ番組が好きですか?

Yumi : **What TV programs do you like,** Tom**?**

Tom : I like cartoons. Do you know we can see Japanese cartoons in America?

Yumi : Really? We can watch American TV shows in Japan, too.

ユ　ミ：どんなテレビ番組が好きなの、トムは?

ト　ム：マンガだね。アメリカでも日本のマンガが見られるって知ってる?

ユ　ミ：ほんと? 日本でもアメリカの番組が見られるわよ。

テレビ番組は TV program または TV show 、テレビドラマは TV drama 、メロドラマは soap opera 、コメディは sit com [situation comedy]。

お役立ち表現

テレビをつけていいですか？	May I turn the TV on?
テレビを消してもらえますか？	Will you turn the TV off?
音量を上げていいですか？	Can I turn the sound up?
音量を下げてくれますか？	Could you turn the sound down?
この番組を見てもいいですか？	Can I watch this program?
ビデオを使っていいですか？	May I use the VCR?
この番組を録画してもいいですか？	May I tape this program?
どんなテレビ番組が好きですか？	What TV programs do you like?
ニュースキャスターはだれが好きですか？	Who is your favorite anchorperson?
テレビタレントはだれが好きですか？	Who is your favorite TV personality?

〈単語〉subtitle ●字幕　　　　　　　　TV personality ●テレビタレント
　　　　TV program/show ●テレビ番組　 network ●キーステーション
　　　　cartoon ●マンガ　　　　　　　 rerun ●再放送
　　　　anchorperson ●ニュースキャスター remote (control) ●リモコン

家族と親しくなるために　テレビを見る

おっとうっかり！

　closed caption は聴覚障害者のために開発されたシステム。英語学習者にとってはファミリーとともにテレビを楽しむときの強い味方です。アメリカではデコーダー内蔵のテレビなら表示が可能。また通じない略語は、BS = Broadcast Satellite（放送衛星）、CS = Communications Satellite（通信衛星）、ハイビジョン= high-definition television と変換。

子どもと話す

小学生のトムとは何の話をしようかな。
幼稚園児のリンダとは何をして遊ぼうかな。

What sports do you like?
どんなスポーツが好きですか?

Yumi : Tom, **what sports do you like?**

Tom : I like swimming, baseball and basketball.

Yumi : Great! Are you a good swimmer?

Tom : Yes! I won the second prize in the 100-meter freestyle this summer.

ユ　ミ：トム、スポーツは何が好き？

ト　ム：水泳、野球、バスケットボール。

ユ　ミ：すごいな！ 泳ぎはうまいの？

ト　ム：うん！ この夏 100 メートル自由形で 2 等になったんだ。

Do you want to play?
遊ばない？

Yumi : Linda, **do you want to play?** Do you want to play hide-and-seek?

Linda : Sure! You're it, Yumi! Count to ten.

Yumi : All right. 1, 2, 3, 4, 5, 6, 7, 8, 9, 10. Coming ready or not!

ユ　ミ：リンダ、遊ばない？ かくれんぼしない？

リンダ：うん！ ユミが鬼だよ！ 10 数えてね。

ユ　ミ：わかった。1、2、3、4、5、6、7、8、9、10。さあ行くわよ！

日本語のスポーツマンに当たる英語は athlete 。「かくれんぼをする」は play hide-and-seek 、かくれんぼの鬼は it 、「鬼ごっこをする」は play tag 、鬼ごっこの鬼は it または tagger と言う。

お役立ち表現

好きなテレビ番組は？	What is your favorite TV program?
好きな歌手は？	Who is your favorite singer?
好きな映画俳優は？	Who is your favorite movie star?
どんな動物が好き？	What animals do you like?
食べ物は何が好き？	What kind of food do you like?
何か家の手伝いをしてるの？	Do you do any chores?
何か楽器を演奏する？	Do you play any musical instruments?
描いた絵を見せてくれる？	Can you show me your paintings?
キャッチボールする？	Do you want to play catch?
トランプする？	Do you want to play cards?

〈単語〉athlete ●スポーツマン/ウーマン　　chores ●雑用、家事
　　　　prize ●賞、賞品　　　　　　　　musical instrument ●楽器
　　　　play hide-and-seek ●かくれんぼをする　play catch ●キャッチボールをする
　　　　play tag ●鬼ごっこをする　　　　play cards ●トランプをする

おっとうっかり！

　子どもがいると話し相手になってもらえて英語の勉強になるのではと考えがちですが、必ずしもそうではありません。小さい子どもの英語は慣れないと聞き取りにくいことや、子どもの世界は自己中心的だということもあります。でも、万国共通の話題や遊びもたくさんあります。童心に返ってこちらから子どもに合わせる努力が求められるでしょう。

電話を借りる

ユミコは市内の友人のところへ
電話をかけさせてもらいます。

Can I use the phone?
電話をかけてもいいですか？

Yumi : Billy, **can I use the phone?**

Billy : Where are you calling?

Yumi : To my friend in the city.

Billy : All right. When you want to make a long-distance
call, use a credit card or call collect.

ユ　ミ：ビリー、電話をかけてもいいですか？

ビ リ ー：どこへかけるの？

ユ　ミ：市内の友達のところ。

ビ リ ー：いいよ。長距離電話のときはクレジットカードかコレクトコールにしてね。

May I speak to Mary, please?
メアリーはいらっしゃいますか？

Yumi : Hello. This is Yumi. **May I speak to Mary,
please?**

Mom : Oh, hi, Yumi. Mary can't come to the phone now.
Would you like to leave a message?

Yumi : Yes. Please tell her to call me back. Thanks. Bye.

ユ　ミ：もしもし。ユミですが、メアリーいますか？

マ　マ：あら、ユミ、メアリーは今ちょっと電話に出られないんだけど。伝言あり
ますか？

ユ　ミ：はい。電話がほしいと伝えてください。どうも。失礼します。

コレクトコール [a collect call] はイギリスでは a reverse-charge call 。leave a message は
「伝言を残す」、take a message は「伝言を受ける」。混乱しないように。

お役立ち表現

市内電話をかけていいですか？	Can I make a local call?
日本にコレクトコールをかけたいのです	I'd like make a collect call to Japan.
クレジットカード・コールをかけたいのです	I'd like to make a credit card call.
夜中に電話をかけてもいいですか？	Is it okay to use the phone at night?
メッセージを伝えてもらえますか？	Can you take a message, please?
電話があったと伝えてください	Please tell her that I called.
454-7878 に電話するよう言ってください	Please tell her to call me at 454-7878.
何時ごろお帰りでしょうか？	What time will she be back?
すみません、間違えました	Sorry, wrong number.
もう切ります	I've got to go.

〈単語〉call collect ●コレクトコールをかける　　call again ●後でかけなおす
leave a message ●伝言を残す　　The line is busy. ●話し中
toll free ●フリーダイヤル　　extension ●内線
call back ●折り返し電話する　　answering machine ●留守番電話

おっとうっかり！

　長距離・国際電話はクレジットカードかコレクトコールでかけること。国によってはプリペイドやクレジットカードを利用できる公衆電話が増えており、オペレーターを通さず国際電話ができます。KDD Japan Directを使えば一般家庭からも日本語でコレクトコールをかけられ、クレジットカードも利用可能。市内電話はふつう毎月一定の電話料に含まれます。

電化製品を借りる

日本から持ってこられなかったものを
貸してもらいます。

Can I borrow it?
借りてもいいですか？

Yumi: Cindy, you have a rice cooker, don't you?
Cindy: Yes. How did you know?
Yumi: Lucky guess. **Can I borrow it** for tomorrow's party**?**
Cindy: Be my guest.

ユ　　ミ：シンディ、炊飯器あるでしょう？
シンディ：あるわ。どうしてわかったの？
ユ　　ミ：まぐれよ。明日のパーティに借りていい？
シンディ：どうぞどうぞ。

Do you mind if I use it?
使わせてもらってもいいですか？

Yumi: Billy, is your PC connected to the Internet?
Billy: Yes.
Yumi: **Do you mind if I use it** for a short time**?**
Billy: Actually I'm going to use it now. I'll tell you when I'm done.

ユ　　ミ：ビリーのコンピュータはインターネットに接続してるの？
ビ リ ー：ああ。
ユ　　ミ：ちょっと使わせてもらってもいいですか？
ビ リ ー：今から使うから、終わったら知らせてあげる。

PC はマック以外のパソコンのこと。ホームページは home page でも通じるが、web site 、web 、site などのほうが一般的。HP はホームページではなくヒューレットパッカードの略語。

お役立ち表現

アイロンを借りてもいいですか？	Can I use the iron?
ドライヤーを借りてもいいですか？	Can I use the blow dryer?
バーベキューセットを使ってもいいですか？	May I use the barbecue set?
キャンプテントを貸してくれますか？	Can I borrow the tent?
自転車を借りていいですか？	Can I borrow your bike?
双眼鏡を貸してくれますか？	May I borrow the binoculars?
ビデオを使っていいですか？	Do you mind if I use the VCR?
明日CDプレーヤーを借りていってもいい？	Do you mind if I borrow the CD player tomorrow?
テレビゲームをしてもいいですか？	Can I play the video game?
使い方を教えてもらえますか？	Will you show me how?

〈単語〉rice cooker ●炊飯器　　　　　binoculars ●双眼鏡
　　　　Be my guest.●ご自由にどうぞ　VCR[= Video Cassette Recorder]●日本語
　　　　blow dryer ●ヘアドライヤー　　では VTR[= Video Tape Recorder]
　　　　bike ●自転車　　　　　　　　　video game ●ビデオゲーム、テレビゲーム

おっとうっかり！

　could use 、can use は、「必要だ」「あるといい」の意味で使います。I could use some coffee.「コーヒー飲みたいな」、You could use a break.「少し休んだら」。また、同じ「借りる」でも use はそこで使うこと、borrow は借りて持っていくこと。「電話を貸して」は May I use the phone?。May I borrow the phone? ではどこへ持っていくのかと疑われます。

車で送ってもらう

シンディが車で出かけるついでに、
ユミコはダウンタウンまで送ってもらうことにします。

Will you give me a ride?
車に乗せてもらえますか？

Yumi: Cindy, I need a favor.

Cindy: Shoot.

Yumi: **Will you give me a ride** on your way downtown this afternoon**?** I'd like to do some last-minute shopping.

ユ　ミ：シンディ、お願いがあるの。

シンディ：言ってみて。

ユ　ミ：今日の午後、町へ行くとき車に乗せてもらえないかな。最後の買い物をしたいんだ。

Could you drop me off at the mall?
モールで降ろしてもらえますか？

Yumi: **Could you drop me off at the mall?**

Cindy: Okay. If you need a ride back home, we can meet in the parking lot in an hour or so.

Yumi: I don't think one hour is enough. I'll take a bus. Thank you for your offer, anyway.

ユ　ミ：モールで降ろしてもらえるかな？

シンディ：いいわよ。帰りも車に乗りたいんだったら、1時間くらい後に駐車場で落ち合いましょうか？

ユ　ミ：1時間じゃ足りないな。帰りはバスにします。言ってくれてありがとう。

---

give ... a ride「～を（車で）送る」、drop ... off「～を降ろす」、give ... a lift「～を同乗させる」、pick ... up「～を拾う、迎えにいく」。shoot は「言ってごらん」と発話を促す言葉。

70

お役立ち表現

お願いがあるんですが	Would you do me a favor?
大変なお願いがあるんですが	I have a big favor to ask.
車で行きますか？	Are you going there by car?
車で送ってもらえますか？	Will you give me a ride?
車で家まで送ってくれますか？	Will you drive me home?
車で映画館まで送ってくれますか？	Will you drive me to the movie theater?
＊ 少しドライブしない？	Do you want to go for a ride?
＊ 送ってあげるよ	I will give you a ride.
結構です。歩いて帰ります	No, thank you. I will walk home.
車に酔いました	I feel sick.

〈単語〉go downtown ●町へ出る　　　　　shortcut ●近道
　　　　parking lot ●駐車場　　　　　　dead end ●行き止まり
　　　　buckle up ●シートベルトを締める　seatback ●背もたれ
　　　　turn left/right ●左/右に曲がる　　get out ●（車から）降りる

おっとうっかり！

　車で家まで送ろうかと誘われる機会があるかもしれませんが、よく知らない人の誘いには乗らないこと。あなたが男性でも油断は禁物。実際に日本人男性の被害もあります。断りははっきりと No, thank you. 、しつこければ I said "No, thank you." と繰り返すことです。車社会では車に乗らないと足の便を不自由に感じますが、バスや自転車で行動範囲を広げるのも手。

外食／外泊をすると伝える

クラスメートと外食したり、友人宅で外泊したい日もあります。
きちんと連絡しておきましょう。

I'll have dinner with Rita tonight.
今夜リタと夕飯を食べます

Yumi : Hello. Billy? This is Yumi.
Billy : Oh, hi, Yumi. What's up?
Yumi : I wanted to tell you that **I'll have dinner with** my classmate **Rita tonight.**
Billy : Okay. Will you be coming home late?

ユ　ミ : もしもし。ビリー？ ユミです。
ビリー : ああ、ユミ、どうした？
ユ　ミ : 今夜クラスメイトのリタと食事をすることにしたの。連絡しておきたくて。
ビリー : わかった。遅くなりそう？

I'm planning to sleep over there.
泊まってこようと思います

Yumi : Cindy, I've been invited to the party at Mary's house and **I'm planning to sleep over there.** Is that okay?
Cindy : When will that be?
Yumi : This coming Saturday.

ユ　ミ : シンディ、わたしメアリーの家のパーティに招待されてるんだけど、その日は泊まってきたいんだ。いいかな？
シンディ : いつなの？
ユ　ミ : 今度の土曜。

I wanted to tell you that の続きは時制の一致に従えば過去形が正しいが、口語では上文のように過去形を使わないこともある。

お役立ち表現

今夜友達と外食します	I am eating out with my friend tonight.
今夜リタと出かけます	I am going out with Rita this evening.
今夜夕食はいりません	I don't need supper tonight.
夕飯はつくらなくていいです	You don't have to make supper for me.
夕食をとっておいてください	Please save some supper for me.
10時までには帰ります	I will be home by ten.
遅くなるときは電話します	I will call if I'm going to be late.
今夜ここで泊まります	I'm sleeping over here tonight.
一晩中起きていました	I stayed up all night.
夜更かししました	I stayed up till late.

〈単語〉come home ●帰宅する　　　　　save ●とっておく
　　　　sleep over ●外泊する　　　　 stay up ●起きている
　　　　eat out ●外食する　　　　　　behind schedule ●予定より遅れる
　　　　go out ●外出する、デートする　go to a party ●パーティに行く

さらに便利に、快適に 外食／外泊をすると伝える

おっとうっかり！

　「家に帰る」を come home と言うか go home と言うかは、話す相手によります。I'm coming home now. は帰宅先にいる家族に対して、I'm going home now. は外出先で家族以外の人に対して「家に帰る」と言うときに使います。「家に帰る」は、be home、be back home、head for home などとも言います。

具合が悪いと訴える

病院へ行くほどではないけれど体調がよくない日もあります。
(「病院／薬局へ行く」P160 参照)

I don't feel well.
具合が悪いのです

Yumi: Cindy, **I don't feel well.**

Cindy: What's wrong, Yumi?

Yumi: I have a sore throat, and my nose is running.

Cindy: You poor thing. You're probably catching a cold.

ユ ミ: シンディ、具合がよくないの。

シンディ: どうしたの、ユミ。

ユ ミ: のどが痛いの。鼻水も出るし。

シンディ: まあかわいそうに。たぶん風邪のひきはじめね。

Nothing serious, I think.
たいしたことはありません

Billy: Yumi, you look pale. Are you okay?

Yumi: Oh, I'm just tired. **Nothing serious, I think.** I just need a good night's sleep.

Billy: Do you have a fever?

Yumi: Not really. But I have a slight headache.

ビ リ ー: ユミ、顔色が悪いよ。大丈夫？

ユ ミ: 少し疲れてるだけ。たいしたことないの。一晩ぐっすり眠れば治ります。

ビ リ ー: 熱があるんじゃない？

ユ ミ: いいえ。でもちょっと頭痛がするの。

---

catch a cold は「風邪をひく」、have a cold は「風邪をひいている」、have a bad cold は「ひどい風邪をひいている」こと。a good night's sleep「一晩ゆっくり眠る」。

お役立ち表現

具合が悪いのです	I don't feel well.
のどが痛いのです	I have a sore throat.
微熱があります	I have a (slight) fever.
ドアで手を挟みました	I shut my hand in the door.
テニスをしたときにひざを痛めました	I hurt my knee playing tennis.
魚のフライを食べると胸焼けがします	I get heartburn when I eat deep-fried fish.
夜遅く食べると消化不良になります	I get indigestion when I eat late at night.
バスケットボールをやりすぎて肩が痛いです	My shoulder aches because I played basketball too long.
熱いスープを飲んで舌をやけどしました	I burned my tongue on some hot soup.
生理中は具合が悪いんです	I don't feel well during my period.

〈単語〉pale ●青白い
don't feel well ●具合が悪い
flu [=influenza] ●インフルエンザ
injury ●けが

ache ●痛む、ずきずきする
sore ●痛い、ヒリヒリする
catch a cold ●風邪をひく
lie down ●横になる

おっとうっかり！

「痛み」や「痛む」の意味をもつ ache は headache「頭痛」、stomachache「胃痛」toothache「歯痛」、backache「腰痛」など、うずくような痛みを表す単語の語尾に使われます。また動詞として My head aches.「頭が痛い」のようにも使います。一方、sore はヒリヒリするような痛さを表します。

ピクニックへ行く

ネルソン一家は公園でのピクニックや、戸外でのバーベキューが大好き。
ユミコも参加します。

I'd like to join you!
ごいっしょさせてください！

B i l l y : Yumi, we're planning a picnic this weekend.
Would you like to come along?
Y u m i : Yes! **I'd like to join you!**
B i l l y : Great. We'll have a barbecue at the beach park.
Y u m i : Cool! So, you're the chef, right?

ビ リ ー：ユミ、今週末にピクニックを計画しているんだ。いっしょに来ないかい？
ユ　　ミ：はい！ごいっしょさせてください！
ビ リ ー：よかった。海浜公園でバーベキューをするつもりなんだ。
ユ　　ミ：すてき。それじゃあ、ビリーがシェフね。

What a nice view!
いい眺め！

C i n d y : It's a beautiful day, isn't it, Yumi?
Y u m i : Yes. **What a nice view!** It's great to have a picnic
on a day like this. I love picnics!
C i n d y : Who doesn't? Go ahead and have some
sandwiches. They are my specialty.

シンディ：いいお天気ねえ、ユミ。
ユ　　ミ：ええ、それにいい眺め！こんな日にピクニックするなんていいわね。ピク
ニックって大好き！
シンディ：みんな好きよね。さあ、サンドイッチをどうぞ。わたしの特製よ。

go ahead 「お先にどうぞ」は、先に進んだり、先に行ったりしてもらうときと、go ahead
and... 「どうぞ〜して」と相手に次の動作をうながすときの両方でよく使われる表現。

お役立ち表現

すばらしい眺め！	What a magnificent view!
サンドイッチづくりを手伝いましょうか？	Shall I help you make sandwiches?
クーラーボックスに氷を入れましょうか？	Shall I put some ice in the cooler?
飲み物は何を持っていきましょう？	What are we taking with us to drink?
ビーチでたこを上げましょうか？	Shall we fly a kite at the beach?
炭はどれくらいいりますか？	How much charcoal will we need?
ガスバーナーを使うのですか？	Are we going to use the gas burner?
ビーチパラソルはどこに立てましょうか？	Where shall we set up the beach umbrella?
片づけを手伝います	I will help you clear up.
バッグを見ていてもらえますか？	Can you keep an eye on my bag?

〈単語〉 permission ●許可
administrator ●管理者
beach park ●海浜公園
magnificent ●すばらしい

cooler ●クーラーボックス
beverage ●飲み物
beach umbrella ●ビーチパラソル
barbecue ●バーベキュー

おっとうっかり！

　公園やビーチでは、アルコールを飲むことや鳥や小動物にえさをやることを禁止しているところもあります。公共の場所に限らず、酔っ払うことは慎みましょう。海外は日本ほど泥酔者に寛容ではありません。酔っ払った翌日には友達がいなくなっている、なんて憂き目にあわないように。picnic は一般に「楽しいこと」の意味でも使われます。

さらに便利に、快適に ピクニックへ行く

ホームパーティに参加する

What can I bring to the party?
パーティへ何を持っていけばいいですか?

Cindy: We are having a potluck party at Pamela's this Friday. Do you want to come?

Yumi: Sure. I'd love to. What is potluck?

Cindy: It means everybody brings a dish.

Yumi: I see. **What can I bring to the party?**

シンディ: 今度の金曜日、パメラのところでポットラックパーティをするの。行く?
ユ　ミ: もちろん、喜んで。ポットラックって?
シンディ: 各自が料理を一皿持ち寄ることよ。
ユ　ミ: へ〜え。何を持っていけばいいのかな?

Thank you for inviting me.
お招きくださってありがとう

Cindy: Pamela, this is Yumi.

Pamela: Hi, Yumi. Cindy has been telling me about you.

Yumi: Nice to meet you, Pamela. **Thank you for inviting me.**

Pamela: My pleasure. Make yourself at home.

シンディ: パメラ、ユミよ。
パ メ ラ: いらっしゃい、ユミ。シンディから聞いてたわよ。
ユ　ミ: はじめまして、パメラ。お招きくださってありがとうございます。
パ メ ラ: どういたしまして。くつろいでね。

---

party は Let's party! 「さあパーティだ!」のように動詞としても使う。make yourself at home は「楽にしてくつろいでね」の意味で、make yourself comfortable とも言う。

お役立ち表現

何を着ていけばいいですか？	What should I wear?
パーティに何を持っていけばいいですか？	What can I bring to the party?
友達を連れていってもいいですか？	Can I bring a friend with me?
＊ ご自由に食べてね	Help yourself.
すてきなお家ですね	You have a lovely house.
＊ 楽しんでる？	Are you having a good time?
とてもおいしかったです	The food was delicious!
すばらしいパーティをありがとう	Thank you for the wonderful party.
おもてなしありがとう	Thank you for your hospitality.
お会いできてよかったです	It was nice meeting you.

〈単語〉potluck ●ありあわせの料理　　　　come out of one's shell ●うちとける
　　　　dish ●皿、料理　　　　　　　　　break the ice ●座をうちとけさせる
　　　　hospitality ●もてなし、歓待　　　　partner ●同伴者
　　　　wall flower ●壁の花　　　　　　　invitation ●招待状

おっとうっかり！

　相手が女性や初対面の人だけに限らないことですが、聞いては失礼な質問は、年齢、未婚か既婚か、収入、宗教、政治、人種などに関することです。How old are you?「年齢は？」、Are you married?「結婚していますか？」、How much money do you make?「収入は？」などの質問は控えます。

ホームパーティいろいろ

パーティ好きな欧米では何かにつけてホームパーティを開きます。
たいていはみんなでお喋りを楽しむ気さくな集まりです。
ブロークンでもかまいません。積極的に話に参加しましょう。

tea party

午後のお茶と軽食の会。特にイギリスではteaまたはafternoon teaといい、午後3時から
5時くらいの間にスコーンやミニサンドイッチ、甘いものといっしょに紅茶を楽しみます。

luncheon

昼食会やお昼時に限らない軽食会。日中に女性や主婦が集まることが多いようです。
(luncheonはホームパーティではなく、正式の昼食会や午さん会をさすことも)

cocktail party

夕食後または夕食前の時間に軽いおつまみとお酒やカクテルだけでもてなす略式パー
ティ。食事は出ないので、招待時間が遅いときには夕食をしっかりと食べてから出かけま
しょう。

potluck party

パーティ参加者が一皿(もともとは一なべ)ずつ持ち寄って家庭で開きます。メニューが
重ならないようにあらかじめ打ち合わせすることも。日本料理をつくって持っていくと喜ば
れるでしょう。potluckはありあわせの意味でも使います。

cookout

野外でバーベキューなどの料理をしながら楽しむパーティ。欧米人はバーベキューが大
好きで、夏などは各家庭の庭先で食事を囲んでいる姿をよく見かけます。単に野外料理
のこともこう言います。

BYOB (bring your own bottle/booze)

参加者が各自お酒を1本持参します。主催者は招待するときに「BYOBだよ」と知らせたり、案内状に書いたりします。食べ物は主催者のほうで用意をします。また、招待状にRSVPとあれば「出欠の返事をください」の意味。boozeは口語でお酒のこと。

surprise party

誕生日や記念日などに、当人に内緒で周囲の人がこっそり準備を進め、本人が現れると隠れていた招待客がいっせいに驚かせます。特に誕生日に行なわれることが多く、単にsurpriseとも言います。

baby shower

出産間近の女性に贈り物をするために、たいていは女性だけが集まり歓談します。赤ちゃんに必要なものがそろうように、みんなで贈り物を相談しておくこともあります。

bachelor party (stag party)

結婚直前の男友達を囲んで男性だけではめをはずします。パーティの内容は、原則として花嫁には一切秘密。bachelorは独身男性、stagはオンドリのこと。

hen party

bachelor partyの女性版。結婚直前の女友達を囲んで女性だけではめをはずします。henはメンドリのこと。

housewarming

新築または引っ越しの後、友人や知人を招いて行なうカジュアルなパーティ。ときには新しい隣人も呼んで、引越しをお祝いします。

slumber party (pajama party)

だれかの家に集まって夜パジャマのままで遊びます。特に年若い女の子が行なうことが多く、本来は男子禁制です。そのまま夜明かしすることもあります。slumberはうたたねや睡眠のこと。

さらに便利に、快適に　ホームパーティいろいろ

81

バースデイパーティを開く

明日はビリーの誕生日。シンディからびっくり
パーティを開くことを聞かされます。

What're you planning to do?
何を計画しているのですか?

Cindy: Yumi, listen. Tomorrow is Billy's birthday, and I'm planning to have a surprise party for him.

Yumi: Sounds interesting. **What're you planning to do?**

Cindy: I'll ask him to buy some groceries, and while he's doing that, all his friends will hide in the living room.

シンディ: ユミ、聞いて。明日はビリーの誕生日なのね。それでびっくりパーティを開こうと思ってるの。

ユ ミ: おもしろそう。何をたくらんでるの?

シンディ: 彼に買い出しを頼んで、その間に友達が全員リビングに隠れるわけ。

Happy birthday!
誕生日おめでとう

Yumi: Surprise! **Happy birthday,** Billy**!**

Billy: Wow! I had no idea. Thank you all for coming.

Cindy: Come on, blow out the candles.

Yumi: Make a wish.

ユ ミ: びっくり! お誕生日おめでとう、ビリー!

ビ リ ー: え～っ! 全然気づかなかったよ。みんな来てくれてありがとう。

シンディ: さあ、ろうそくを消して。

ユ ミ: お願いごとを。

びっくりパーティは a surprise party/a surprise と言う。I have no idea.は I don't know. と同じ意味。I had no idea. と過去形になると「気づかなかった」「予想していなかった」の意味。

お役立ち表現

お誕生日おめでとう！	Happy birthday!
幾久しく幸せでありますよう！	Many happy returns!
ろうそくを消して	Blow out the candles.
願いごとをして	Make a wish.
願いごとを口にするのはバッドラックよ	It's bad luck to tell someone what you wished for.
プレゼントを開けてよ	Open your presents.
彼の誕生日パーティに参加します	I'll go to his birthday party.
彼に何をあげたらいいでしょう？	I don't know what I can give him.
彼はどんなものが好きでしょう？	What kind of things does he like?
これどうぞ	This is for you.

〈単語〉 surprise party ●びっくりパーティ　unwrap ●開封する
invite ●招待する　　　　　　　　 candle ●ろうそく
plan ●計画　　　　　　　　　　　 blow out ●吹き消す
secret ●秘密　　　　　　　　　　 make a wish ●願いごとをする

おっとうっかり！

　びっくりパーティは家庭に限らず学校や職場で行われることもあります。誕生日の当人が来ると隠れていた人がいっせいに姿を現して、Surprise! と叫びます。バースデイケーキのろうそくを消しながら願いごとをするように、周りの人は Make a wish. とうながします。バースデイパーティに招かれたらプレゼントを持参します。

日本食をごちそうする

ユミコは家族のためにスキヤキをつくります。
喜んでくれるかな。生卵って食べ慣れないかな。

I'd like to make some Japanese food.
日本料理をつくりたいのです

Yumi : Today, **I'd like to make some Japanese food for you.**

Cindy : Sounds wonderful!

Tom : What are you going to cook?

Yumi : Sukiyaki. Tom, have you ever had it before?

ユ　ミ：今日はみんなに、日本料理をつくってあげたいんだけど。

シンディ：すごーい！

ト　ム：何を料理するつもり？

ユ　ミ：スキヤキよ。トム、食べたことがある？

Can you eat raw eggs?
生卵は食べられますか？

Yumi : Tom, **can you eat raw eggs?**

Tom : I hate them. They're disgusting. I'll just have meat and vegetables.

Yumi : Try some tofu. It's good for you.

Tom : I like tofu. What is it made from?

ユ　ミ：トム、生卵は食べられる？

ト　ム：大嫌い。気持ち悪いもん。肉と野菜だけ食べるよ。

ユ　ミ：お豆腐も食べてみて。体にいいのよ。

ト　ム：豆腐はおいしい。原料は何？

---

be made from ... 「〜からつくられている」は原料が原形をとどめていない場合に使われる。
be made of ... は原料が原形をとどめている場合。

お役立ち表現

日本食を試してみたいですか？	Do you want to try some Japanese food?
お礼に日本食をつくってあげたいのですが	I'd like to make some Japanese food for you to thank you.
どんな日本食が好きですか？	What kind of Japanese food do you like?
天ぷらを食べたことはありますか？	Have you ever had tempura?
ここではすべての材料を揃えるのは困難です	It is hard to get all the ingredients here.
レシピをお教えします	I can teach you the recipe.
これは伝統的な日本食です	This is a traditional Japanese meal.
豆腐は安くてよく食べられています	Tofu is inexpensive and popular.
最近はいろいろなものを食べます	We eat a variety of food these days.
インスタントの日本食を持っています	I have some instant Japanese food.

〈単語〉chop sticks ●はし   deep fried fish and vegetables ●天ぷら
bean curd ●豆腐   pork cutlet ●トンカツ
soy sauce ●しょうゆ   grilled rice ball ●焼きおにぎり
dried seaweed ●のり   fried rice ●チャーハン

おっとうっかり！

　食はだれもが興味をもつ話題。伝統的日本食に限らず、西洋化している日本の食文化を紹介するのも一案です。ただし音を立てて食べるめん類などはやめること。肉を前歯でかみ切る習慣がないので、スキヤキの肉は一口大に切るなどの工夫も必要です。日本語のままおそらく通じるものは、sukiyaki、sashimi、sushi、teriyaki、tempura、tofu、miso など。

日本料理のつくり方

海外でも手に入りやすい材料を使った日本食のレシピを紹介します。
ホストファミリーにも教えてあげましょう。

焼き鳥
Grilled Chicken
(パーティに最適。人気のメニュー)

INGREDIENTS (Serves 4 to 5)

Chicken thigh : 900g (2 lb.)
Lemon
Shichimi (or powdered red pepper)
Bamboo skewers : 30 sticks

《Sauce》
Soy sauce : 1/2 cup (120 ml)
Mirin (or wine) : 1/2 cup (120 ml)
Sugar 4 Tbs : (5 Tbs with wine)

材　料 (4～5人分)

鶏モモ肉:900g (2 lb.)
レモン
七味唐辛子 (赤唐辛子粉末)
竹串:30本

《たれ》
しょうゆ:1/2 カップ (120 ml)
みりん (ワイン):1/2 カップ (120 ml)
砂糖:大さじ4杯 (ワインを使ったときは大さじ5杯)

1. Cut chicken into pieces and mount 4 pieces onto each skewer.
2. Sauce: Mix soy sauce, mirin (or wine) and sugar, and boil till reduced to 2/3 of original amount.
3. Grill meat over open fire. Brush meat with sauce 2-3 times while grilling.
4. Serve with lemon juice and/or shichimi.

1. とり肉を一口大に切り、竹串に4切れずつ刺します。
2. たれをつくります。しょうゆ、みりん、砂糖を混ぜ、3分の2になるまで煮詰めます。
3. 肉をじか火で焼きます。焼きながらたれを2～3回つけます。
4. レモン汁とお好みで七味唐辛子をかけて供します。

1ポンド (pound = lb.) ＝約454グラム
1オンス (ounce = oz.) ＝1／16ポンド＝約28グラム
1パイント (pint) ＝0.473リットル (liter = lit.)
1ガロン (gallon) ＝3.785リットル
Tbs (＝tablespoonful) 大さじ一杯＝約15cc
tsp (＝teaspoonful) 茶さじ一杯＝約5cc

※米式で統一しました。

肉じゃが
Meat and Potatoes
（海外でも好評のおふくろの味）

INGREDIENTS (Serves 4 to 5)

Potatoes：450g (1 lb.)
Beef (or pork)：200g (7 oz.)
Fresh ginger：1 Tbs
Sugar：2 Tbs
Sake (or wine)：2 Tbs
Soy sauce：3 Tbs

材　料 (4～5人分)

じゃがいも：450g (1lb.)
牛肉 (豚肉)：200g (7oz.)
生しょうが：大さじ1杯、細切り
砂糖：大さじ2杯
酒 (ワイン)：大さじ2杯
しょうゆ：大さじ3杯

1. Peel potatoes and cut into pieces.
2. Slice meat thinly and cut into pieces.
3. Cut ginger finely.
4. Mix soy sauce, sake, sugar and ginger and bring to the boil. Add meat, potatoes and water to cover, and bring to the boil. Simmer until potatoes are cooked.

1. じゃがいもの皮をむいて切ります。
2. 肉を薄くスライスしてから切ります。
3. しょうがを細切りにします。
4. しょうゆ、酒、砂糖、しょうがを混ぜ、沸騰させます。肉とじゃがいもを入れ、水をひたひたに注ぎ、沸騰させます。じゃがいもが柔らかくなるまでとろ火で煮ます。

日本料理のつくり方

お好み焼き
Okonomiyaki
（親しみやすい日本の屋台の味）

INGREDIENTS (Serves 4 to 5)

Flour: 2 cups (240g)
Baking powder: 1 tsp
Salt: 1/4 tsp
Pork (or beef or prawns): 120g (4 oz.)
Cabbage: a few leaves
Egg: 1
Vegetable oil

《Sauce of Choice》
Barbecue sauce/Soy sauce/
Ketchup/Mustard/Mayonnaise

材　料 (4〜5人分)

小麦粉: 2 カップ (240g)
ベーキングパウダー: 小さじ1
塩: 小さじ1/4
豚肉 (牛肉や小えび): 120g (4 oz.)
キャベツ: 2〜3枚
卵: 1個
植物油

《お好みのソース》
バーベキューソース、しょうゆ、ケチャップ、
マスタード、マヨネーズ

1. Sift flour and mix with baking powder and salt.
   Gradually add a cup of water and mix until smooth.
2. Cut cabbage into thin pieces.
3. Add egg, meat and cabbage to batter and mix lightly.
4. Heat oil in a frying pan. Pour batter in and flatten out.
   After a while, turn over and fry other side.
   Brush with sauce of choice and sprinkle with condiments.

1. 小麦粉をふるいにかけ、ベーキングパウダーと塩を混ぜます。1カップの水を少しずつ足してこねあげます。
2. キャベツをこま切りにします。
3. 卵、肉、キャベツを生地に入れ、軽く混ぜます。
4. フライパンで油を熱します。生地を注ぎ入れ、平らにします。しばらくしたら裏返して反対側を焼きます。お好みのソースをつけて、薬味を上からかけます。

お役立ち表現

ingredient	材料	prawn	えび
chicken thigh	鶏モモ肉	sift	ふるいにかける
skewer	くし	batter	生地
boil	沸騰させる	pour	注ぐ
grill	焼く	flatten out	平らにする
brush	はけで塗る	sprinkle	ふりかける
ginger	しょうが	condiment	薬味
peel	皮をむく	drain	水切りする
thinly	うすく	dishcloth	ふきん
finely	細かく	stir-fry	いためる
simmer	ことこと煮る	season	味つけする

嫌われがちな臭いや食べ物

魚を焼く臭い、大根おろし、漬物、梅干し、納豆、みそ汁、のり、生卵、たこ、いか

料理の得意な人におすすめのメニュー

天ぷら、とんかつ、スキヤキ、焼き鳥、肉じゃが、親子どんぶり、手巻きずし、冷やし中華

料理の苦手な人におすすめのメニュー

焼きおにぎり、豆腐サラダ、いり豆腐、ちらしずし、お好み焼き、カレーライス、チャーハン

日本から持っていくと重宝するもの

のり、すしの元（粉末）、ちらしずしの元（瓶詰）、焼き鳥のくし、七味唐辛子、ダシの元、カレーライスの元

ホストファミリー先でのテーブルマナーはそれほど堅苦しく考えることはないでしょうが、以下のことは最低守りましょう。

- 中座するときはExcuse me.を言う
- ゲップやせき払いのあとにもExcuse me.
- 調味料は手を伸ばしてとらずに頼む
- 飲食するとき音をたてない
- 口に食べ物を入れたまま話さない
- ナイフやフォークの音をたてない

ただ静かに食べるのではなく、食べながら会話を楽しむ姿勢も大切です。

ガレージセールへ行く

ビリーに頼んで、
ユミコはガレージセールに行ってみることにします。

Where can I see a garage sale?
ガレージセールはどこで見られますか？

Y u m i : What is a garage sale, Billy?

B i l l y : Don't you have garage sales in Japan? People put out the things they don't use anymore in the garage for sale.

Y u m i : Cool. **Where can I see a garade sale?**

ユ　　ミ：ガレージセールってなあに、ビリー？

ビ リ ー：日本にはガレージセールはないの？ 不用品をガレージに出して売るのさ。

ユ　　ミ：おもしろそう。ガレージセールはどこで見られるの？

Can I get a discount?
値引きしてくれませんか？

Y u m i : Billy, this chair looks neat.

B i l l y : Yeah! Maybe we can have one like this in the nursery. How much is it?

M a n : It's $65.

B i l l y : **Can I get a discount?** How about $50?

ユ　　ミ：ビリー、このいすきれいだよ。

ビ リ ー：だねえ。子ども部屋にこんなのがあってもいいな。いくら？

男　　性：65 ドルですよ。

ビ リ ー：値引きしてくれませんか？ 50 ドルでどうでしょう？

---

for sale は「売り出し品」、not for sale は「非売品」on sale は「特売品」について言う。
neat は「さっぱりしてきれいな」ことだが、口語では「すてきな」の意味でよく使われる。

お役立ち表現

ガレージセールとは何ですか？	What is a garage sale?
どこでガレージセールをやっていますか？	Where are garage sales held?
何を売っていますか？	What kind of things are for sale?
ガレージセールをどうやって知りますか？	How do you find out about the garage sale?
値引きしてもらえますか？	Can I get a discount?
50ドルでどうでしょうか？	How about $50 for this?
150ドルまで出せます	I can spend $150.
日本ではフリーマーケットがあります	We have flea markets in Japan.
不用な家具や電化製品は市に収集を頼みます	We ask the local city to collect unwanted furniture and electric things.
不用品交換店を運営している市もあります	Some cities run a swap shop.

〈単語〉put out ●外に出す
for sale ●売ります
nursery ●育児室、子ども部屋
flea market ●フリーマーケット

unwanted ●すでに使っていない
swap shop ●不用品交換店
junk ●がらくた、古くてもまだ使えるもの
discount ●値引き

おっとうっかり！

　ガレージセールといってもガレージに限らず敷地内に不用品を展示していることも多く、yard sale ヤードセール（主に庭先で）、tag sale タグセール（値札がついている）など他の呼び方もあります。また、不用品交換の機会もあって、ものを大事にする精神が生かされています。swap shop（不用品交換店）、swap meet（不用品交換市）などがそうです。

さらに便利に、快適に　ガレージセールへ行く

教会へ行く

日曜日ユミコはネルソン一家に同行して教会へ行き、
礼拝を経験してみることに。

I want to go and see a church service.
教会の礼拝へ行ってみたいです

Billy : Yumi, we're going to church on Sunday morning.
Would you be interested in coming with us?

Yumi : Um. I'm not a Christian, but **I want to go and see
[a church service].** Is that all right?

Billy : Yeah. They say "Experience is the best teacher"!

ビ リ ー：ユミ、日曜の朝教会へ行くけど、いっしょに行きたいかな、どうかな。

ユ　　ミ：あの、クリスチャンじゃないんだけど、礼拝には行ってみたいな。いいの
かな？

ビ リ ー：大丈夫さ。「経験は最良の師」って言うだろ！

What am I supposed to do in church?
教会ではどうすればいいの？

Yumi : **What am I supposed to do in church?**

Billy : Don't worry too much about it. Just listen to
Father Brown give a sermon, sing some hymns,
and pray.

Yumi : All right.

ユ　　ミ：教会ではどうすればいいの？

ビ リ ー：そんなに心配しなくても大丈夫。ブラウン神父の説教を聞いて、賛美歌を
歌って、お祈りをするだけだよ。

ユ　　ミ：わかった。

カトリックの神父は father または priest 、プロテスタントの牧師は minister または pastor 。
聖職者を直接呼ぶときには Reverend または Father を使う。

お役立ち表現

あなたはカトリック教徒ですか？	Are you Catholic?
キリスト教に関心があります	I'm interested in Christianity.
教会へ行くことには興味がありません	I'm not interested in going to church.
クリスチャンではなくて仏教徒です	I'm not a Christian. I'm a Buddhist.
特別な宗教は信仰していません	I don't have any particular religion.
教会へ連れていってもらえますか？	Would you take me to church with you?
よくざんげをするのですか？	Do you often go to confession?
ひざまずいて祈るべきですか？	Should I kneel down when I pray?
祈り方がわかりません	I don't know how to say a prayer.

〈単語〉 service ●礼拝
church service ●教会の礼拝
morning service ●朝の礼拝
pray ●祈る
cross ●十字架
cross oneself ●十字を切る
choir ●聖歌隊

bible ●聖書
podium ●聖書台
baptism ●洗礼
confirmation ●堅信（式）
Muslim ●イスラム教徒
Ramadan ●イスラム暦の断食月
Jew ●ユダヤ教徒

おっとうっかり！

　クリスチャンは Catholic（旧教徒）と Protestant（新教徒）、さらにさまざまな宗派 [sect] に分かれます。礼拝は、クリスチャンでないと誘われないこともあるでしょうし、誘いを断っても構いません。信仰をしていないのに行くのは変だと思う人、逆にオープンマインドの人もいるでしょう。経験として行ってみたい場合は、謙虚に学ぶ姿勢で敬意をもって。

さらに便利に、快適に ▮ 教会へ行く

家族に別れを告げる

ホストファミリーとの別れを惜しむユミコ。
感極まってしまいます。

I had lots of fun playing with you.
いっしょに遊べて楽しかったです

Y u m i : I'm leaving, Tom. Thanks for teaching me how to play Monopoly.

T o m : You're welcome. Good-bye, Yumi.

Y u m i : Linda, **I had lots of fun playing with you.**

L i n d a : Me, too. Bye-bye, Yumi.

ユ　　　ミ：トム、お別れね。モノポリーゲームを教えてくれてありがとう。

ト　　　ム：どういたしまして。じゃあね、ユミ。

ユ　　　ミ：リンダ、いっしょに遊んでとっても楽しかったわ。

リ ン ダ：わたしも。バイバイ、ユミ。

I will write to you from Japan.
日本から手紙を書きます

Y u m i : Billy, Cindy, I don't know how I can thank you enough. I'll miss you a lot. **I will write to you from Japan.** I promise.

B i l l y : Don't cry, Yumi. Let me kiss you good-bye.

C i n d y : Keep in touch, Yumi.

ユ　　　ミ：ビリー、シンディ、何と言ってお礼を言えばいいのか。とってもさみしいです。日本から手紙を書きます。約束します。

ビ リ ー：ユミ、泣くな。お別れのキスだよ。

シ ン デ ィ：じゃあね、ユミ。

> Monopoly は不動産争いのサイコロゲームの商品名。keep in touch は今後も連絡をとって関係を絶たないようにすることで、別れ際に『さよなら、またね』の意味で使う。

お役立ち表現

心からありがとう	I thank you with all my heart.
心の底からありがとう	I thank you from the bottom of my heart.
みなさんの親切にはお礼の言葉もありません	I can't thank you enough for your kindness.
ご厚意に深く感謝しています	I'm grateful for what you've done for me.
みなさんを決して忘れません	I won't forget you.
この幸せな日々は決して忘れません	I will never forget these happy days.
また会える日を願って	I hope we can see each other again.
日本へ会いにきてください	Please come and see me in Japan.
お別れにプレゼントを	This is a farewell present for you.
手紙をくださいね	Drop me a line, will you?

〈単語〉miss ●（別離や不在を）さびしく思うgrateful ●感謝して
kiss ... good-bye ●別れのキスをする　farewell ●別れ
with all my heart ●心から　　　　　drop ... a line ●手紙を書く
from the bottom of my heart ●心の底からKeep in touch.●さよなら、またね

おっとうっかり！

別れるとき人はやさしくなります。涙もろい人はあまり泣きすぎないように気をつけて。別れの名セリフもあります。Parting is such sweet sorrow.「別れは何て甘く悲しいんだろう」（シェイクスピア『ロミオとジュリエット』より）。The best of friends must part.「どんな親友にも別れはある」。日本でも「会うは別れのはじめなり」と言いますね。

August 31, 2000

Dear Billy and Cindy,

It has been already one week since I came back to my home in Kyoto. My parents were very pleased to see me back, and my brother couldn't wait to see my souvenir for him.

I think of you every day and night. I sometimes feel strange being surrounded only by Japanese people. I treasure all the happy memories and all the surprises during my stay over there. I am truly grateful for hospitality and friendship your family showed me.

I will write to you again shortly. Please give my love to Tom and Linda.

With lots of love,
Yumi

P.S.
I have you like the photos I have enclosed.

2000年8月31日

親愛なるビリーとシンディへ

京都の自宅に帰ってきてもう1週間がたちました。両親はわたしが戻ってきてとても喜び、弟はおみやげを見せろとせかしました。

みなさんのことを毎日、毎晩思い出しています。ときどき日本人ばかりに囲まれていると不思議な気がします。そちらに滞在中の楽しかった思い出や驚いたことの数々をとても大事に思っています。家族のみなさんのご厚意と友情には深く感謝しています。

近いうちにまた書きます。トムとリンダによろしく伝えてください。

愛を込めて
ユミ

追伸
同封した写真、気に入ってもらえますように。

お役立ち表現

何もかもありがとう	Thank you for everything.
無事に到着しました	I made it home safely.
みなさんと楽しく過ごすことができました	I had a very good time with your family.
このところ学校のほうが忙しいです	I have been busy with school these days.
生活へ適応しなおすのが少し困難です	It is a little hard to readjust myself to life here.
正直なところ家に帰ってほっとしています	To be honest, I am relieved to be back home.
また訪ねていくための貯金を始めました	I have already started saving money to visit you again.
パメラとご家族によろしくお伝えください	Please say hello to Pamela and her family.
両親がみなさんによろしくとのことです	My parents asked me to send you their best regards.
みなさんに会いたくて仕方ありません	I miss you all so much.

〈単語〉souvenir ●おみやげ　　　　　　treasure ●大事にする、宝物にする
　　　　impatiently ●せっかちに　　　　give my love to … ●〜によろしく伝える
　　　　shake hands ●握手をする　　　　say hello to … ●〜によろしく伝える
　　　　culture shock ●カルチャーショック relieved ●ほっとして

おっとうっかり！

　帰ってから書く手紙はすでにファーストネームで呼ぶ関係です。カジュアルな書き方でいいですが、感謝の気持ちを表すことと、日本に帰ってからの近況や感想などを具体的に知らせるといいですね。ホストファミリーとの関係は帰国後も大切にしたいものです。疎遠になってしまったら年に一度のクリスマスカードで Keep in touch. しましょう。

クリスマス (Christmas Day)
Merry Christmas!

キリスト降誕祭として12月25日を祝います。

　Christmasの語源はChrist（キリスト）とMass（ミサ）が合成されたもの。敬けんな信者はクリスマスの本来の意義を忘れることなく、クリスマスのミサに出かけます。

　雪の降るクリスマスはwhite Christmas、雪のないクリスマスはgreen Christmasと呼ばれます。町はクリスマスの飾りで彩られ、Christmas carolが歌われます。ニューヨークのロックフェラーセンターのChristmas decorationsは、巨大なChristmas treeで有名ですが、各家庭でもツリーを飾るのはクリスマスの楽しみのひとつです。常緑樹（evergreen）は生命の象徴、ひいては救世主のシンボルとして、キリスト誕生を祝う日に欠かせないものとなりました。

　子どもたちはChristmas EveにSanta Clausがやってきてくれるのを心待ちにし、ミルクとクッキーを用意して、くつした（Christmas stocking）をぶらさげて眠りにつきます。プレゼントは（サンタのも、他の人のも）ツリーの下に置かれ、開けるのはクリスマスの朝になってからです。

　クリスマスパーティは、大規模なものから、友人知人だけの内輪のもの、家族だけのものなど、さまざまな形で行なわれます。パーティではヤドリギ（mistletoe）の飾りの下にいる人にはだれでもキスをしていいことになっています。

イースター（復活祭）
Happy Easter!

イースターはキリストが十字架に架けられた後に復活したことを祝う日です。

　イースターの日は年ごとに決められます。春分の日を基点に、その後の最初の満月に続く最初の日曜日が復活祭（Easter Sunday）、復活祭の前40日間が四旬節（Lent）です。

　四旬節が始まる日は水曜日になり、その日は灰の水曜日（Ash Wednesday）といいます。以前は四旬節には肉食が禁じられていたことから、四旬節の前の1週間にお肉のまとめ食いをかねて大騒ぎをするのが謝肉祭（Carnival）です。

　イースター当日はイースターの卵で子どもたちが遊びます。卵に絵を描いたり、卵ころがし（egg rolling）に興じたり、隠されている卵を探し出したり（egg hunting）します。卵は、以前は四旬節の間に禁止されていた食べ物でしたが、同時にキリスト復活のシンボルでもあります。繁殖力旺盛なうさぎもシンボルとして欠かせません。また、各地でイースターパレードが行なわれます。

ハロウィン（Halloween）
Happy Halloween!

ハロウィンは諸聖徒日の前夜、10月31日のお祭りです。

　11月1日は、諸聖徒日（All Saints' Day）、古くは万聖節（Hallowmas）として、天上の諸聖人と殉教者の霊を祭る日とされています。諸聖徒日前夜であるハロウィンは、mischief night（悪ふざけの夜）として、妖精や魔女が飛び交い、いたずらをしかけると信じられていました。

　これにならって、ハロウィンの夜、子どもたちは魔女や悪魔などに仮装して近所の家を訪れ、Trick or Treat!「いたずらかお菓子か!」と口々に叫んでお菓子をねだります。各家庭では配りやすいようなお菓子を用意しておきますが、お菓子がもらえなかったり、留守だった家にはちょっとしたいたずらをすることもあります。

　jack-o'-lanternと呼ばれるかぼちゃのちょうちんは有名です。大きなかぼちゃの中身をそぎ出して、目鼻口の部分をくりぬき、中にろうそくを入れて玄関先に飾ります。これはハロウィンに飛び交っている妖精たちを退治するためにかがり火をたいていたことからきています。大人たちもハロウィンには仮装パーティを開いて盛り上がります。

アメリカの祝祭日

感謝祭（Thanksgiving Day）

Happy Thanksgiving!

感謝祭は、アメリカでは11月の第4木曜日、カナダでは10月の第2月曜日です。

　感謝祭は、アメリカ入植の歴史に関係した祝日です。1620年、Mayflower号でアメリカ大陸にやってきた巡礼始祖（the Pilgrim Fathers）は、ボストン郊外にプリマス植民地（Plymouth Colony）を建設しました。しかし、入植当初は厳しい冬が彼らを待ちうけ、食べる物にも困窮する日々が続きました。

　感謝祭は、翌年の秋に、植民地総督がはじめての収穫を神に感謝して、ネイティヴアメリカンをゲストに開いた大宴会を起源としています。ここで供されたのが、七面鳥（turkey）をメインディッシュとする、鹿肉、かぼちゃ、クランベリー、コーンなどの食事で、今日の感謝祭ディナー（Thanksgiving dinner）にも受け継がれています。感謝祭には、このディナーを中心に家族が集まり、神への感謝の気持ちを新たにします。ホワイトハウスでも感謝祭ディナーが毎年開催されています。

・・・・・・・・・・・・・・・・・・・・・・・・・・・・・・・・・・・・

バレンタインデー（Saint Valentine's Day）

Happy Valentine's Day!

2月14日のバレンタインデーは恋人たちのための日です。

　古代ローマの聖バレンタインが殉教した日を記念して、2月14日に恋人たちがカードを送ったり、贈り物を贈ったりするようになったとされています。

　一方、2月14日は、中世ヨーロッパでは鳥たちがつがいはじめる日と考えられおり、これが男女を結ぶバレンタインデーのはじまりに結びついたという説もあります。実際、この日、家族以外で最初に出会う異性をバレンタインの恋人にするという慣習もありました。

　「女性から男性に愛の告白をしたり、チョコレートなどの贈り物をする日」という日本のバレンタインデーとは異なり、男性のほうがデートのプランをたてたり、花束やプレゼントの用意をしたりと忙しいようですが、大切なのは恋人同士がどういう気持ちを相手に伝えるかということです。

Part ② スクールで

オリエンテーションを受ける

ユミコが通う ABC カレッジの初日は、
オリエンテーションから始まりました。

✻ Do you have any questions?
質問はありますか？

Beaton: Hello, everyone. My name is Laura Beaton.
I'm an adviser at ABC College. I'd like to welcome
you all here. All of you are going to take a
placement test right after this session. Now, **do
you have any questions?**

ビートン：みなさん、こんにちは。わたしはローラ・ビートンといいます。ABC カ
レッジのアドバイザーです。みなさんを心から歓迎します。みなさんには
このセッションに引き続いてクラス分けテストを受けていただきます。で
は、質問はありますか？

What kind of test is it?
どんなテストですか？

Yumi: Yes, Miss Beaton. **What kind of test is it?**
Beaton: The test includes a written test, a listening
comprehension test and a short interview.
Yumi: How long is the test?
Beaton: One hour and a half in all.

ユ　　ミ：はい、ビートン先生。どんなテストなんですか？
ビートン：テストでは、筆記試験、ヒアリング、簡単な面接を行ないます。
ユ　　ミ：テスト時間は？
ビートン：ぜんぶで 1 時間半です。

オリエンテーションでは、教師はゆっくりとわかりやすく話してくれるはず。まずはクラス分
けのテストがあるだろう。質問があれば積極的に。

お役立ち表現

質問があります	I have a question.
どんなテストですか？	What kind of test is it?
何分のテストですか？	How long is the test?
テストはどこで受けるのですか？	Where are we going to take the test?
各クラスに何人いますか？	How many people will be in each class?
時間割をもらえます？	Can I have a timetable?
エクスカーションの予定表をもらえますか？	Can I have the excursion schedule?
202教室はどちら？	Where is room 202?
授業料はどこで払うのですか？	Where can I pay the fees?
どこで登録するのですか？	Where can I register?

〈単語〉adviser ●アドバイザー、指導教官　timetable ●時間割
comprehension ●理解　　　　　　　excursion ●（学校主催の）周遊旅行
interview ●面接　　　　　　　　　fee ●授業料
placement test ●クラス分けテスト　register ●登録する

おっとうっかり！

　4年制大学の1年生は freshman 、2年生は sophomore 、3年生は junior 、4年生は senior といいます。短期大学の場合は、1年生は junior 、2年生は senior 。junior は卒業学年のひとつ前の学年、senior は最上級生ということです。大学には指導教官の他に、student adviser がいて、新入生ひとりずつに上級生が割りあてられ、相談役になります。

クラスで自己紹介する

初回のタナー先生の授業では、各自が自己紹介をすることに。
一番手はユミコです。

I'm from Kyoto in Japan.
日本の京都から来ました

Tanner: Now, I'd like each one of you to introduce yourself to the class. Yumiko, would you like to be the first?

Yumi: All right, Mr. Tanner. My name is Yumiko Saito. **I'm from Kyoto in Japan.**

タ ナ ー：では、クラスの人たちに対してそれぞれ自己紹介をしてもらいましょう。ユミコ、最初にやってくれますか？

ユ　　ミ：わかりました、タナー先生。わたしの名前は斉藤ユミコです。日本の京都から来ました。

I major in American literature.
アメリカ文学を専攻しています

Yumi: I'm a university student and **I major in American literature.** I like swimming, shopping, watching movies and traveling. I am now staying with the Nelsons.

Tanner: Thanks, Yumiko.

ユ　　ミ：わたしは大学生で、アメリカ文学を専攻しています。好きなことは、水泳、ショッピング、映画鑑賞、そして旅行です。現在はネルソン家にステイしています。

タ ナ ー：よろしく、ユミコ。

---

class は「クラス、学級」と「授業、講習」の意味。例えば、We are in class now.「今授業中だ」。lesson は「授業」と「教訓」の意味。例えば、I learned a lesson.「教訓を学んだ」。

お役立ち表現

日本の京都から来ました	I'm from Kyoto, Japan.
生まれも育ちも大阪です	I was born and raised in Osaka.
奈良の短期大学へ通っています	I go to a junior college in Nara.
経営学を専攻しています	I major in business administration.
商業英語を副専攻しています	I minor in business English.
東京の商社で秘書をしています	I'm a secretary at a trading company in Tokyo.
ここに来るために2週間の休暇をとりました	I took two weeks off to be here.
もっと理解でき、話せることが目標です	My goal is to be able to understand more and speak more.
目標は TOEFL で高得点をあげることです	My objective is to make a high score in TOEFL.
英語を上達させ多くの友達をつくりたいです	I'd like to better my English and make a lot of friends here.

〈単語〉major in … ●～を専攻する　　　　trading company ●商社
　　　　minor in … ●～を副専攻する　　　objective ●目標
　　　　business administration ●経営学　　be good at … ●～が得意
　　　　business English ●商業英語　　　　public school ●公立高校

おっとうっかり！

　自己紹介ではあまりシャイになりすぎずに心を開いて。My name is Yumiko Saito. I'm from Japan. 「斉藤ユミコです、日本から来ました」のような無愛想な自己紹介では、あなたの個性がまったく見えてきません。日本の学校や仕事について、趣味、特技、参加の目的、将来の目標など何でもかまいません。あなたという個人を印象づけることを心がけましょう。

クラスメイトに話しかける

自己紹介の授業の後で、ユミコはふたりの
クラスメイトに話しかけてみます。

The class was fun, wasn't it?
授業、楽しかったですね

Y u m i : Hi. I'm Yumi. **The class was fun, wasn't it?**

R i t a : Yeah. I'm Rita. I like Mr. Tanner.

Y u m i : Me, too. So, Rita, did you come here all by
yourself?

R i t a : Yes, I did. It looks like I'm the only German in class.

ユ　　ミ : ハイ。ユミです。授業おもしろかったわね。
リ　　タ : ええ。リタよ。わたしタナー先生好きだわ。
ユ　　ミ : わたしも。ところで、リタ、ここへはひとりで？
リ　　タ : そうよ。クラスで唯一のドイツ人のようね。

Where do you come from?
どちらのご出身ですか？

Y u m i : Hi. I like your bag.

J u n g : Thanks. I'm Jung. What was your name?

Y u m i : Yumi. **Where do you come from**, Jung**?**

J u n g : I'm from Seoul in South Korea. You are
Japanese, right?

ユ　　ミ : ハイ。すてきなデイパックね。
ジ ュ ン : サンキュ。ジュンです。名前何だったっけ？
ユ　　ミ : ユミよ。ジュンはどこから？
ジ ュ ン : 韓国のソウルから。きみは日本人だね？

My name is ... も I'm... も自己紹介の表現だが、カジュアルな関係では I'm Yumi. と呼んでほし
い名前で名乗る。Where do you come from? も Where are you from? も「どこから？」の意味。

お役立ち表現

名前何だったっけ？	What was your name?
どこから来たの？	Where do you come from?
どこにステイしているの？	Where are you staying now?
このクラスどう？	How do you like the class?
先生は好き？	Do you like the teacher?
ひとりで来たの？	Did you come here all by yourself?
すてきなバッグね	I like your bag.
すてきな髪型ね	I like your hairdo.
すてきな服ね	I like your outfit.
英語がうまいのね	You speak English very well.

〈単語〉introduce ●自己紹介する
by oneself ●ひとりで
How do you like …? ●〜はどう？
hairdo ●ヘアスタイル

outfit ●服装（靴、帽子、アクセサリーを含む）
home-land ●母国
look like … ● 〜のようだ

友達をつくる　クラスメイトに話しかける

おっとうっかり！

　語学留学は、英語の勉強に来ている他の国の人との出会いの場でもあります。同じ立場で話も弾み、英語もネイティヴの人より通じやすいかもしれません。話のきっかけづくりには、I like your hairdo.「すてきなヘアスタイルね」や I like your bag.「すてきなバッグね」のように相手のことや持ち物をさりげなく（お世辞ではなく）ほめる。これはおすすめです。

ランチをいっしょにとる

ユミコはリタたちとカフェテリアでランチをとる約束です。
ジュンも誘ってみようかな。

Would you like to join us?
いっしょにどう？

J u n g : Yumi, are you having lunch in the cafeteria?

Y u m i : Yes. I'm eating with Rita and a couple of my
Japanese classmates. **Would you like to join
us?**

J u n g : Why not?

ジ ュ ン：ユミ、ランチはカフェテリアで食べる？

ユ　　ミ：そう。リタや日本人のクラスメイト数人といっしょよ。ジュンもいっしょ
にどう？

ジ ュ ン：喜んで。

Where in Germany are you from?
ドイツのどこから来たのですか？

Y u m i : Rita, **where in Germany are you from?**

R i t a : I'm from Munich. It's a beautiful city.

J u n g : I know. It's famous for good beer and the
Oktoberfest.

R i t a : I bet you are fond of beer, Jung.

ユ　　ミ：リタはドイツのどこから来たの？

リ　　タ：ミュンヘンよ。きれいな都市なの。

ジ ュ ン：知ってる。うまいビールとオクトーバフェスタでも有名だろ。

リ　　タ：さてはビール好きね、ジュン。

---

are you having lunch や I'm eating のように、現在進行形は近い未来について話すときにも使
う。bet「賭ける」は、I bet. や You bet.「きっと [= I'm sure.]」の意味でも使う。

お役立ち表現

ごいっしょしていい？	May I join you?
いっしょにどう？	Do you want to join us?
いっしょにランチを食べましょうか？	Shall we have lunch together?
わたしといっしょにランチを食べませんか？	Do you want to have lunch with me?
カフェテリア、それともファーストフード？	Do you want to go to the cafeteria or get some fast food?
この食事はどう？	How do you like the food?
自国でのお仕事は？	What do you do back home?
ホームシックにならない？	Don't you get homesick?
ご家族のことを教えて	Tell me about your family.
このホームステイの後の予定は？	What are your plans after the homestay?

〈単語〉cafeteria ●カフェテリア
I bet. ●きっと
why not ●もちろん
be fond of … ●〜が好き

back home ●自分の国では
How do you like …？●〜はどうですか？
lunch box ●弁当箱
vegetarian ●菜食主義者

友達をつくる　ランチをいっしょにとる

おっとうっかり！

　ランチタイムはクラスメイトとおしゃべりができるチャンス。各国からの学生たちの中には菜食主義者 [vegetarian] の人もいれば、信仰上の理由で食べ物や飲み物に制約のある人もいます。イスラム教やユダヤ教を信仰する人は豚肉を、ヒンズー教の人は牛肉を食べません。モルモン教の信者にはコーヒー、紅茶をはじめとする嗜好飲料を飲まない人もいます。

クラスメイトを誘う

放課後や週末に、ユミコは親しくなりはじめた
リタやジュンを誘います。

Why don't we go downtown?
町へ出かけませんか？

Y u m i : Rita, do you have any plans after school today?
R i t a : Not particularly. How come?
Y u m i : **Why don't we go downtown?** I'd like to look
around.
R i t a : Sounds like a good idea.

ユ　　ミ：リタ、今日の放課後は予定がある？
リ　　タ：特にない。なんで？
ユ　　ミ：町へ出かけない？ 市内散策したいな。
リ　　タ：それいい考えね。

Are you free this Sunday?
今度の日曜日はおひまですか？

Y u m i : Jung, **are you free this Sunday?** We are
planning to have a Japanese dinner party at
Makiko's place. Why don't you come over?
J u n g : I'd be glad to. Thanks for inviting me.
Y u m i : The more, the merrier.

ユ　　ミ：ジュン、今度の日曜はひま？ マキコのところで日本食パーティをやるんだ
けど、来ない？
ジュン：喜んで。誘ってくれてサンキュ。
ユ　　ミ: にぎやかなほうが楽しいでしょ。

---

sounds ... 「〜に思える」は、形容詞が続けば Sounds fantastic!、名詞なら Sounds like a
good idea. と like を使う。How come? は口語で Why? と同じ。

お役立ち表現

週末の計画はある？	Do you have any plans for weekend?
今日の午後、ひま？	Are you free this afternoon?
どう？	What do you say?
映画を見にいかない？	What do you say we catch a movie?
いっしょに行かない？	Why don't you come along?
いっしょにどう？	Why don't you join us?
いっしょに行かない？	Would you care to go with me?
わたしのところへ来ない？	Won't you come over to my place?
この展覧会に興味があるかな	I wonder if you are interested in this exhibition.
この展覧会に興味があるかと思ったんだけど	I was wondering if you were interested in this exhibition.

〈単語〉look around ●周囲を見物する　　come over ●やってくる
　　　　catch a movie ●映画を見にいく　care to … ●〜したい
　　　　go shopping ●買い物に行く　　　exhibition ●展覧会
　　　　come along ●いっしょに行く　　　the more, the merrier ●大勢ほど楽しい

おっとうっかり！

　What do you say? は「どう？」と相手の意向を尋ねる表現。What do you say we catch a movie?「映画を見にいくのはどう？」のようにも聞きます。また、Why don't you … ? は「〜しませんか？」と誘う表現。Why don't you come along?「いっしょに行かない？」に対してイエスなら Why not?「もちろん」、I'd love to. や I'd be glad to.「喜んで」。

111

友達を励ます

英語の発音のことで悩んでいるマキコ。バッグをなくして意気消沈のリタ。
ふたりを励ましたいユミコですが…。

Take it easy.
思いつめないで

Makiko: Yumi, can I talk to you?

Yumi: Yes. What's up, Makiko?

Makiko: You know, it's about my English pronunciation.
Some of the students in class laugh at me.

Yumi: Oh, **take it easy,** Makiko. I think your
pronunciation is getting better. Cheer up!

マ キ コ：ユミ、ちょっといい？
ユ　　ミ：ええ。どうしたの、マキコ？
マ キ コ：あのね、わたしの英語の発音のこと。授業中みんなに笑われるんだよね。
ユ　　ミ：そんなに思いつめないで。発音、よくなってると思うよ。元気出して。

Are you all right?
どうかしたの？

Yumi: **Are you all right,** Rita**?**

Rita: I lost my bag. I had it when I went to the library.
Maybe somebody took it.

Yumi: Let's go and check the lost and found. Chin up!

ユ　　ミ：どうかしたの、リタ？
リ　　タ：バッグをなくしたの。図書館へ行ったときには持ってたんだけど。たぶん
盗まれたのよ。
ユ　　ミ：落とし物コーナーに行ってみましょうよ。元気出して。

---

take it easy は take things easy とも言い「のんびり構える、あせらない、思いつめない、無
理しない」の意味。別れ際にも Take it easy!「じゃあね！」と声をかける。

112

お役立ち表現

思いつめないで	Take it easy.
元気出して！	Cheer up!
しっかりして！	Chin up!
がんばって	Hang in there.
それは大変ねえ	That's too bad.
それはお気の毒ねえ	I'm sorry to hear that.
そんなにひどくないよ	It's not too bad.
きっとよくなるよ	Things will get better.
そんなに心配しないで	Don't worry too much about it.
そんな大騒ぎしないで	Don't make such a big deal out of it.

〈単語〉pronunciation ●発音　　　　　　　lost and found ●遺失物取扱所
　　　　laugh at … ●〜を（ばかにして）笑う　hang in there ●がんばる
　　　　get worse ●悪くなる　　　　　　　make a big deal out of … ●〜を大げさに考
　　　　get better ●よくなる　　　　　　　える

おっとうっかり！

　相手が落ち込んでいるときに、あまり性急に That's all right. Cheer up!「大丈夫、元気出して」などと言うのも思いやりにかけます。まずは話を聞いてあげて、なぐさめの言葉をかけて、いっしょに考えてあげることですね。Hang in there.「がんばって」は「明日の試験がんばって」のような場合でなく、相手が多少の苦境に立たされているときに使います。

友達をつくる　友達を励ます

デートに誘う／誘われる

ジュンはマキコを食事に誘います。
ユミコもエドからデートに誘われますが…。

Would you like to go out with me?
デートしませんか？

Jung : Hi, Makiko. I was wondering .... Say, **would you
like to go out with me** sometime**?**
Makiko : You mean, like a date?
Jung : Yeah. I mean, if you like.
Makiko : I'd love to.

ジュン：ハイ、マキコ。どうかな…。あの、そのうちぼくと出かけない？
マキコ：それって、デートのこと？
ジュン：そう。まっ、よかったらだけど。
マキコ：喜んで。

I have other plans.
他に予定があります

Ed : Yumi, listen, can I take you out for dinner this
Saturday?
Yumi : Uh, I don't think so. **I have other plans.**
Ed : Oh, all right. How about tonight, then?
Yumi : I'm sorry, Ed, but I have a boyfriend in Japan.

エ　ド：ねえ、ユミ、今度の土曜、デートに誘ってもいい？
ユ　ミ：う〜ん。やめとく。他に予定があるの。
エ　ド：あ、そうか。じゃあ今夜はどう？
ユ　ミ：ごめんなさい、エド。わたし、日本にボーイフレンドがいるんだ。

go out「出かける」は、「デートをする」の意味でもよく使われる。I have a date.「デートが
ある」や She's my date.「彼女がデートの相手だ」のように date は名詞としても使われる。

お役立ち表現

付き合ってる人がいるの？	Are you seeing anybody?
＊ ぼくとデートしない？	Do you want to go out with me?
今夜夕食に誘ってもいい？	Can I take you out for dinner tonight?
彼女を誘えば？	Why don't you ask her out?
ちょっと急なんだけど	This is kind of short notice.
今夜デートなの	I have a date this evening.
ダブルデートしよう	Let's double-date.
彼、あなたが好きみたい	I think he has a crush on you.
すっぽかさないで	Don't stand me up.
友達がブラインドデートをおぜん立てしたの	My friends set up a blind date for me.

〈単語〉go out ●出かける、デートする
take … out ●〜を連れ出す、誘う
ask … out ●〜をデートに誘う
short notice ●急な知らせ

have a crush on … ●〜に好意をもっている
stand … up ●〜をすっぽかす
some other time ●また今度
steady ●特定の恋人

友達をつくる ━━ デートに誘う／誘われる

おっと うっかり！

blind date とはだれかの紹介で、会ったことのない人とするデートのこと。異性との付き合いにももちろん YES/NO の表現は大切です。アメリカ人であってもデートの相手にはなかなかはっきりと NO が言えないことから、意思に反して相手からレイプされる事件につながることもあり、date rape（デートレイプ）と呼ばれて社会問題にもなっています。

授業中に質問する

ユミコは授業中よくわからなかったり、
疑問に思ったことを質問します。

What does "imperative" mean?
「imperative」とはどういう意味ですか？

Yumi: Mr. Tanner, I have a question.

Tanner: Yes, Yumiko, go ahead.

Yumi: **What does "imperative" mean?**

Tanner: It means a command. You tell somebody to do
something. All right?

ユ　ミ：タナー先生、質問があります。

タ ナ ー：はい、ユミコ、どうぞ。

ユ　ミ：「imperative」とはどういう意味ですか？

タ ナ ー：命令すること、だれかに何かをするように言うことです。わかりますか？

Excuse me, but ... .
すみませんが～

Yumi: **Excuse me,** Mr. Tanner, **but** did you say "by
Tuesday"**?**

Tanner: No, I said "by Thursday".

Yumi: Oh, okay, thank you.

Tanner: All right.

ユ　ミ：すみません、タナー先生、「火曜日まで」ですか？

タ ナ ー：いいえ、「木曜日まで」です。

ユ　ミ：あ、そうですか、わかりました。

タ ナ ー：オーケー。

先生の呼び方は、人によって Mr. 、Miss 、Mrs. 、Ms. などをつける場合と、ファーストネームでいい場合があります。どちらにしても質問するときには名前を呼びます。

お役立ち表現

質問してもいいでしょうか？	May I ask you a question?
もう一度言ってください	Could you say that again?
どういう意味ですか？	What do you mean by that?
この単語はどう発音しますか？	How do you pronounce this word?
すみません、質問の意味がわかりません	I'm sorry I don't understand the question.
A と B の違いは何ですか？	What's the difference between A and B?
授業を録音していいですか？	May I tape this lesson?
トイレへ行ってもいいですか？	May I be excused?
すみません、宿題を忘れました	I'm sorry I forgot to do my homework.

〈単語〉noun ●名詞
verb ●動詞
adjective ●形容詞
adverb ●副詞
auxiliary verb ●助動詞
preposition ●前置詞
conjunction ●接続詞

pronoun ●代名詞
relative pronoun ●関係代名詞
imperative mood ●命令法
subjunctive mood ●仮定法
singular/plural ●単／複数
countable/uncountable ●数えられる／ない
intransitive/transitive ●自／他動詞

おっとうっかり！

授業中など質問をするのが自然な状況では、May I ask you a question?「質問していいですか？」よりは、I have a question.「質問があります」と言ったほうがいいでしょう。先生の話の途中で質問を挟みたいときには、Excuse me, but ... と話を切り出します。先生の注意をこちらにひきつけたいときは、Mr. Tanner. と名前を呼びながら挙手します。

授業／課外活動で　授業中に質問する

授業中にディスカッションする

今日の授業は環境問題についてのディスカッション。
ユミコも自分の考えを発表します。

I agree with you.
賛成します

Tanner: We're going to talk about what we can do to protect the global environment. Anybody?

Boy: We should try to consume less electricity, gas and water in everyday's life.

Yumi: **I agree with you.**

タナー：地球環境の保護のために何ができるかを話し合いましょう。どうぞ。
男の子：毎日の生活で使う電気、ガス、水を節約すべきです。
ユ ミ：賛成です。

I disagree.
そうは思いません

Girl: My family uses soft detergent and I don't intend to own my own car.

Yumi: What's wrong with having a car?

Girl: It's one of the causes of global warming.

Yumi: **I disagree.** A car is very useful.

女の子：家族はソフト洗剤を使っているし、わたしは自分の車は持たないつもり。
ユ ミ：車を持つことのどこが悪いの？
女の子：地球温暖化の一因でしょ。
ユ ミ：そうは思わない。車はとても便利だわ。

「〜について話す、討論する」は talk about ... や discuss ... 。discuss about とは言わない。
What's wrong with ... ? は「〜のどこが悪いのか？」。

お役立ち表現

賛成です	I agree. ／ I think so, too.
反対です	I disagree. ／ I don't think so.
全面的に同意はしません	I do not completely agree with you.
わたしの意見では…	In my opinion, … .
それは重要なことでしょうか？	Does it matter?
重要じゃないのでは	I don't think it matters.
面白い考え方ですね	That's an interesting point of view.
今までそんな風に考えたことがありません	I haven't thought that way before.
これを英語でどう言ったらいいのでしょう	How can I say this in English?
何と言えばいいかわかりません	I don't know what to say.

〈単語〉 global environment ●地球環境　　acid rain ●酸性雨
　　　　 global warming ●地球温暖化　　flammable trash ●燃えるゴミ
　　　　 be aware of … ●〜を意識している　point of view [= viewpoint] ●意見、見解
　　　　 pollution ●汚染　　　　　　　issue ●論点

おっとうっかり！

　授業中に限らず、発言を求められたとき意見がないことが語学力以前の最大の問題。I don't know. や I have no idea. と答えてばかりでは、何も考えていない人だと思われてしまいます。自分の見解さえあれば、がんばればブロークンでも相手に伝えることができます。また「どう思う？」はWhat do you think? 。How do you think? とは聞かないので注意。

文化交流の集いを開く

ビートン先生に相談して、
ユミコは日本人学生を中心に文化交流会を開くことにします。

We'd like to have a Japan day.
ジャパンデイを開きたいのです

Yumi: Miss Beaton, we want to do some kind of cultural exchange. **We'd like to have a Japan day.**

Beaton: That's a wonderful idea, Yumiko.

Yumi: Can we use the classroom for that?

Beaton: Let's see. You can use room 201 after three.

ユ　ミ: 先生、文化交流をしたいのです。ジャパンデイを開きたいのですが。
ビートン: それはすばらしい考えね、ユミコ。
ユ　ミ: そのために教室を使っていいですか？
ビートン: そうねえ。3 時過ぎなら 201 教室を使っていいわよ。

We will sing some Japanese songs.
日本の歌を歌います

Beaton: What are you planning to do?

Yumi: **We will sing some Japanese songs.** There will be a short play. Tatsuo will be demonstrating some karate techniques.

Beaton: Sounds fantastic! Am I invited?

ビートン: どんなことを計画してるの？
ユ　ミ: 日本の歌を歌ったり、寸劇をやったり、タツオは空手の技を披露することになっています。
ビートン: すごいわねえ。わたしも招待してくれる？

「すばらしい」の意味のほめ言葉は fantastic の他にも great 、wonderful 、excellent 、brilliant 、marvelous 、gorgeous 、fascinating など。

お役立ち表現

文化交流の機会はありますか？	Is there any chance to hold some kind of cultural exchange?
文化交流をしたいのです	I want to do some cultural exchange.
ジャパンデイを開きたいのですが	We'd like to have a Japan day.
みなさんを招待したいです	We'd like to invite all of you.
日本の歌を歌えます	We can sing Japanese songs.
踊りを練習しなければ	We've got to practice dancing.
だれが劇を書きましょうか？	Who is going to write the play?
ゲームができます	We can play some games.
日本の写真を見せられます	We can show some pictures of Japan.
日本食を料理できます	We can cook some Japanese food.

〈単語〉cultural exchange ●文化交流　　technique ●技
　　　　stage ●上演する　　　　　　practice ●練習する
　　　　play ●劇　　　　　　　　　　demonstrate ●披露する
　　　　some kind of ●何らかの　　　fantastic ●すばらしい

授業／課外活動で　文化交流の集いを開く

おっとうっかり！

　日本紹介や文化交流は外国にいるという地理的制限もあり意外と難しいものです。また日本に住んでいるといっても、日ごろ特に日本文化に接していないという人も多いでしょう。伝統文化や武道に限らず外国でも紹介可能な現代日本の一面をとりあげて、楽しい時間を演出してみてはどうでしょう。

図書館を利用する／職員と話す

ユミコは図書館で本を探しています。
職員も留学生を気遣って話しかけてくれます。

I'd like to borrow "Silent Spring".
「沈黙の春」という本を借りたいのです

Staff: Hi. What can I do for you?

Yumi: **I'd like to borrow "Silent Spring",** but I can't find it on the shelf.

Staff: Let me check it out for you. Oh, it's on the "just in" shelf. Here you go.

職　員：ハイ。ご用は？
ユ　ミ：「沈黙の春」という本を借りたいんですが、本棚にないんです。
職　員：確かめてみましょう。あら、新着棚にあったわよ。はいどうぞ。

Every day is full of surprises.
毎日が驚きの連続です

Staff: Say, are you having a good time here?

Yumi: Yes. **Every day is full of surprises.**

Staff: Great! So, you don't have time to get homesick, do you?

Yumi: Not really. But I sometimes miss Japanese food.

職　員：どう、楽しくやっていますか？
ユ　ミ：はい。毎日が驚きの連続です。
職　員：すごい！ じゃあホームシックになるひまなんてないわね。
ユ　ミ：それほどないですね。でもときどき日本食が食べたくなります。

---

check it out は「確める」、check out は「チェックアウトする」で図書館では本を借り出すこと。Say は So と同様に「それで」と相手に話しかけるときに単独で使う。

お役立ち表現

この本を借りたいです	I'd like to borrow this book.
この本を返却したいのですが	I'd like to return this book.
コンピュータの使い方を教えてもらえます？	Could you tell me how to use the computer?
マイクロフィッシュはどう使うのですか？	How do I use the microfiche?
一度に何冊まで借りられますか？	How many books can I borrow at one time?
何時に閉館しますか？	What time does the library close?
登録カードを見せなければなりませんか？	Do I have to show you my registration card?
ウェイティングリストに載せてくれますか？	Can you put me on the waiting list?
ご助力ありがとう	Thank you for your help.
とても助かりました	You've been very helpful.

〈単語〉borrow ●借りる　　　　　　　　librarian ●図書館員、司書
　　　shelf ●本棚　　　　　　　　　　return ●返却する
　　　microfiche ●マイクロフィッシュ　author ●著者
　　　registration card ●登録カード　　circulation ●貸し出し

おっとうっかり！

　否定疑問文や付加疑問文に対する答え方の練習です。Are you homesick?「ホームシックなの？」、Aren't you homesick?「ホームシックじゃないの？」、You are homesick, aren't you?「ホームシックなんでしょ？」、You aren't homesick, are you?「ホームシックじゃないわよね？」。すべてホームシックのときは Yes、違うときは No と答えます。

授業／課外活動で　図書館を利用する／職員と話す

アドバイザーに相談する

ジュンはホストファミリーについて、
マキコはクラスの難度について相談を持ち込みます。

I've got a bit of a problem.
困っています

J u n g : Miss Beaton, **I've got a bit of a problem.**
Beaton: What is it?
J u n g : My host parents often go out in the evening and I've got to make my own supper. I don't like cooking and there's not much food in the fridge.

ジュン：ビートン先生、ちょっと困っています。
ビートン：どうしたの？
ジュン：夜、ホストペアレントの外出が多いので、夕食をつくるはめになるのです。料理は好きじゃないし、冷蔵庫にはあまり食料が入っていないし。

I can't keep up with the class.
授業についていけません

Makiko: Miss Beaton, can I talk to you for a minute?
Beaton: Sure. What's up, Makiko?
Makiko: **I can't keep up with the class.**
Beaton: Would you rather be in the elementary class?

マ キ コ：ビートン先生、ちょっとお話しできますか。
ビートン：ええ。どうかした、マキコ？
マ キ コ：授業についていけないんです。
ビートン：初級クラスのほうがいいかしら？

---

would rather ... 「～のほうがいい」。「A のほうが B よりいい」は would rather A than B 、または prefer A to B と言える。a bit of は「少しの、ちょっとの」、a bit は「少し、ちょっと」。

お役立ち表現

ちょっと困っています	I've got a bit of a problem.
クラスに合いません	I'm not fitting in with the class.
授業についていけません	I can't keep up with the class.
授業が難しすぎます	The class is too difficult for me.
授業がやさしすぎます	The class is too easy for me.
他のクラスに入れますか？	Can I move to another class?
ホストファミリーに問題があります	I have a problem with my host family.
家が遠すぎます	The house is too far from college.
ほとんど英語を話しません	They seldom speak English.
家族の間ではスペイン語を話しています	They speak Spanish in the family.

〈単語〉keep up with … ●〜についていく　　introductory ●入門の
　　　　fit in … ●〜に適合する　　　　　　elementary ●初級の
　　　　seldom ●ほとんど〜ない　　　　　intermediate ●中級の
　　　　change classes ●クラスを替わる　advanced ●上級の

授業／課外活動で　アドバイザーに相談する

おっとうっかり！

　困ったことがあったらアドバイザーに相談しましょう。クラスのレベルが合わない場合は、替えてもらえることもあります。ホストファミリーの問題は、まず当事者間で話し合ってみることが大切。アドバイザーにはどのように話し合えばいいかというアドバイスを求める姿勢でのぞみましょう。短い滞在期間では毎日が貴重です。問題があったらそのままにしないように。

エクスカーションに参加する

週末にはサクラメントへ。社会見学では地元放送局へ。
課外活動にもどんどん参加します。

I'd like to join this excursion.
このエクスカーションに参加したいのですが

Yumi : **I'd like to join this excursion** to Sacramento on Saturday.

Staff : All right. Could you sign here, please?

Yumi : Is Mr. Tanner coming with us?

Staff : No. But some volunteers who are learning TESL in the university will be with us.

ユ　ミ：土曜のサクラメントへのエクスカーションに参加したいんですが。

職　員：はい。ここにサインしてくれますか？

ユ　ミ：タナー先生もいっしょですか？

職　員：いいえ。でも大学で TESL を学んでいるボランティアの人が参加します。

I can't wait.
とっても楽しみです

Yumi : Are you going to the half-day excursion today?

Rita : Yes. You, too?

Yumi : Yes. **I can't wait** to visit the local broadcasting station. That's where my host father works!

ユ　ミ：今日の半日エクスカーションに行く？

リ　タ：ええ。あなたも？

ユ　ミ：そう。地元放送局の訪問がすごく楽しみ。そこでホストファーザーが働いてるんだ！

---

sign は契約や承認の際に署名することで、有名人のサインは autograph 。I can't wait. は待ちきれないくらい楽しみにしていること。逆に It can wait. は「後回しでもいい」という意味。

お役立ち表現

このエクスカーションに参加したい	I'd like to join this excursion.
エクスカーションはもういっぱいですか？	Is the excursion full yet?
＊ 先着順（早い者勝ち）	First come, first served.
何人が申し込んでいますか？	How many people have already signed up?
申し込みをキャンセルしたいのですが	I'd like to cancel my application.
行程はどれくらいかかりますか？	How long is the excursion?
バスは何時に出発しますか？	What time is the bus leaving here?
何時にここへ戻りますか？	What time will we be back here?
どなたが同行されますか？	Who is going to accompany us?
昼食は自分たちで用意していくのですか？	Are we supposed to bring lunch with us?

〈単語〉broadcasting station ●放送局　　police station ●警察署
　　　　sign up ●参加登録する　　　　　fire station ●消防署
　　　　admission ●入場料　　　　　　　city hall ●市庁舎
　　　　accompany ●同伴する　　　　　　monument ●記念碑

おっとうっかり！

　語学学校主催の小旅行や遠足をふつう excursion といいますが、他の呼び方もあります。例えば、field trip（見学ツアー）、day trip（日帰りツアー）、walking tour（徒歩ツアー）、half-day tour（半日ツアー）、one-day tour（終日ツアー）など。地域社会の一端に触れることで、ふつうの観光旅行とは一味違う体験ができるでしょう。

授業／課外活動で　エクスカーションに参加する

ネイティヴらしく話すための表現

簡単でかっこいい口語表現を使ってネイティヴ気分を味わいましょう。

お役立ち表現

After you.	お先にどうぞ
Big deal!	そりゃすごい!(皮肉で)
Bingo!	あたり!
Bless you!	おだいじに(くしゃみをした人に対して)
Cut it out!	やめろよ!
Give me a break.	ちょっと待ってよ
Go on.	続けて
Hang in there!	がんばって!
Have fun!	楽しんでね!
Just kidding.	冗談よ
Oh, my god!	
Oh, my goodness!	なんてこった!
Oh, my gosh!	
Ouch!	痛い!
Piece of cake!	楽勝!
Rise and shine!	起きなさ〜い!
Take your time.	ごゆっくりどうぞ
We'll see.	そのうちわかるよ
Where was I?	どこまで話したっけ?
Who cares?	かまうもんか

Part

③

外出先で

タクシー／地下鉄に乗る

ユミコはタクシーでシビックセンターまで出て、
そこから地下鉄に乗ることにします。

Civic Center, please.
シビックセンターまでお願いします

Driver: Where to?

Yumi: (Take us to the) **Civic Center, please.**

......[driving]

Driver: Here you are. That's eight fifty.

Yumi: Here you go. Keep the change.

運転手：どちらまで？

ユ　ミ：シビックセンターまでお願いします。

運転手：はい、着きました。8 ドル 50 セントです。

ユ　ミ：じゃあこれ。おつりはけっこうです。

A one-way ticket to Berkeley, please.
バークレイへの片道切符を一枚ください

Yumi: Excuse me. Where is the subway station?

Man: It's two blocks straight ahead.

......[walking]

Yumi: **A one-way ticket to Berkeley, please.**

Clerk: Here you are.

ユ　ミ：すみません、地下鉄の駅はどこですか？

男　性：この先をまっすぐ 2 ブロック行ったところです。

ユ　ミ：バークレイへの片道切符を一枚ください。

係　員：はい、どうぞ。

イギリスでは地下鉄は tube または underground。往復切符は round-trip ticket（米）、return
ticket（英）、片道切符は one-way ticket（米）single ticket（英）と言う。

お役立ち表現

どこでタクシーに乗れますか？	Where can I get a taxi?
荷物をトランクに入れてください	Could you put my luggage in the trunk, please?
この住所までお願いします	Take me to this address, please.
途中で2か所に止まってもらえますか？	Can you make two stops on the way?
次の交差点を左へ	Turn left at the next intersection, please.
電車の駅はどちら？	Where is the train station?
切符はどこで買えますか？	Where can I buy tickets?
バークレイへの往復切符はいくらですか？	How much is a round-trip ticket to Berkeley?
乗り換えが必要でしょうか？	Do I have to change trains?
リッチモンド行きのプラットホームは？	Which platform is for Richmond?

〈単語〉change ●おつり、小銭　　　　　platform ●プラットホーム
　　　　round-trip ticket ●往復切符　　taxi stand ●タクシー乗り場
　　　　subway ●地下鉄　　　　　　　fare ●運賃、料金
　　　　one-way ticket ●片道切符　　　overcharge ●不当に高く請求する

おっとうっかり！

　欧米では大都市を除けば流しのタクシーは少ないので、ホテルや駅前のタクシー乗り場を探すか電話で呼びます。目的地をうまく説明できないときには、地図や住所を書いた紙を運転手に見せて To this place, please.「この場所までお願いします」と言えば大丈夫。チップは通常料金の10～15％ですが、特に荷物があれば多めに払います。

交通機関で　タクシー／地下鉄に乗る

バスに乗る／定期券を買う

バスが来たので行き先を確認して乗りこみます。
ターミナルでは定期券を買います。

What's the fare?
料金はおいくらですか？

Yumi: Excuse me. This bus goes to the city center, right? **What's the fare?**

Driver: One dollar.

Yumi: Could you tell me when we get there?

Driver: All right.

ユ　ミ：すみません。シティセンター行きのバスですよね？　おいくらですか？
運 転 手：1 ドルですよ。
ユ　ミ：着いたら教えてもらえますか？
運 転 手：いいですよ。

I'll have a monthly pass.
1 ヶ月の定期券をください

Yumi: Do you have bus passes?

Clerk: Yes, ma'am. We have weekly passes and monthly passes. Which one would you like?

Yumi: **I'll have a monthly pass.** How much is it?

Clerk: It's 25 dollars for adults and 18 dollars for students.

ユ　ミ：バスの定期券を売っていますか？
係　　員：はいお客さま。1 週間と 1 か月の定期券のどちらをご希望ですか？
ユ　ミ：1 か月の定期券をください。いくらですか？
係　　員：大人が 25 ドル、学生が 18 ドルです。

店員は、女性客には Yes, ma'am. 、男性客には Yes, sir. と丁寧に答えることも。sir は男女を問わず Yes, sir.「そのとおり」、No, sir.「違う」の意味でも使う。

お役立ち表現

このバスはシティセンターへ行きますか？	Does this bus go to the city center?
何番のバスに乗ればいいですか？	What number bus should I take?
着いたら教えてもらえますか？	Could you tell me when we get there?
料金はおいくら？	What's the fare? ／ How much?
どこで乗り換えたらいいですか？	Where should I change buses?
バスの定期券はどこで買えますか？	Where can I buy a bus pass?
1か月の定期券はおいくら？	How much is a monthly pass?
時刻表をいただけますか？	Can I have a timetable?
ルートマップをもらえますか？	May I have a route map?
学割はありますか？	Do you have a student discount?

交通機関で　バスに乗る／定期券を買う

〈単語〉fare ●料金　　　　　　　　student discount ●学割
timetable ●時刻表　　　　　token ●トークン
route map ●ルートマップ　　the next stop ●次のバス停
transfer ●乗り換え、乗り換える　slot ●料金投入口

おっとうっかり！

　バスは車内アナウンスがないこともあるので、はじめての場所へ行くときには運転手にあらかじめ頼んでおきます。1か月の定期券は購入日から1か月、購入日に関係なくその月の最終日までの二種類があります。乗り換えで券が必要なときは Transfer, please.「乗り換え券をください」と言ってもらいますが、乗車時に言わなければならない場合もあります。

道を聞く／他人に声をかける

ユミコは道を歩いている男性や、
バスで乗り合わせた老婦人にどんどん話しかけてみます。

Do you know where ABC College is?
ABC カレッジの場所をご存知ですか？

Yumi: Excuse me. **Do you know where ABC College is?**

Man: Yeah. Go straight ahead and turn left at the next
corner. It's on the right.

Yumi: Thank you very much.

Man: No problem.

ユ　ミ：すみませんが、ABC カレッジはどちらかご存知ですか？
男　性：ああ。このまままっすぐ行って、次の角を左に曲がると、右側にあるよ。
ユ　ミ：どうもありがとう。
男　性：お安いご用。

It's a beautiful day, isn't it?
いいお天気ですね

Yumi: Hi. **It's a beautiful day, isn't it?**

Woman: It sure is. Are you Japanese?

Yumi: Yes. I'm here to study English. I'm going to ABC
College.

Woman: I have a friend in Tokyo. Are you from Tokyo?

ユ　ミ：ハイ。いいお天気ですね。
女　性：本当ね。あなた、日本人？
ユ　ミ：はい。英語の勉強をしに来ています。ABC カレッジに行くところです。
女　性：わたし、東京に友達がいるのよ。あなた、東京の人？

---

on the right は「右側に」、on the left は「左側に」。It sure is. は「そのとおり」と相手に同意
するときに使い、It certainly is.とも言う。

お役立ち表現

はじめて来ました	This is my first time.
道に迷いました	I'm lost.
すみません。ABC カレッジはどこですか？	Excuse me. Where is ABC College?
ABC カレッジはどちらかご存知ですか？	Do you know where ABC College is?
ABC カレッジへの道を教えてくれますか？	Could you tell me the way to ABC College?
話してもいいですか？	May I talk to you?
とても暑いですね	It's very hot today, isn't it?
ひと雨きそうですね	Looks like rain.
このバスにはよく乗るんですか？	Do you often use this bus?
英語の勉強をしに来ています	I'm here to study English.

〈単語〉 go straight ●まっすぐ行く　　　 lights ●信号
　　　　 across from ●真向かい　　　 intersection ●交差点
　　　　 turn ●曲がる　　　　　　　 pass ●過ぎる
　　　　 corner ●角　　　　　　　　 landmark ●目印

交通機関で ■ 道を聞く／他人に声をかける

おっとうっかり！

　他人同士でも通りすがりやバスや電車の中で目が合うとにっこりしたり、ほほえみながら Hi.と言い交わしたりすることがあります。相手に敵意のないことを示していると同時に、たいへん気持ちのいい習慣です。ほほえまれたのにブスッとしたままでいないように。思いきって Hi. と話しかけてみると、思い出がひとつ増えるかもしれません。

レンタカーを借りる

ユミコはレンタカーを借りて
ドライブをすることにしました。

I'd like to rent a car.
車を借りたいのですが

Yumi : Hi. **I'd like to rent a car.**
Clerk : All right. May I see your driver's license?
Yumi : Here you are. Here's my passport, too.
Clerk : Do you have a credit card?

ユ　ミ : あの、車を借りたいのですが。
係　　員 : はい。免許証を拝見できますか？
ユ　ミ : これです。それとパスポートです。
係　　員 : クレジットカードはお持ちですか？

Full protection, please.
全補償でお願いします

Clerk : Do you need insurance?
Yumi : Yes, **full protection, please.**
Clerk : Would you like to pay by card?
Yumi : No, I'd like to pay in cash.

係　　員 : 保険はつけますか？
ユ　ミ : はい、全補償でお願いします。
係　　員 : カードでお支払いですか？
ユ　ミ : いいえ、現金で払います。

レンタカーを借りるときは国際免許証 [international driving permit (IDP)]、パスポート、クレジットカードが必要。現金で支払い時にもクレジットカードを提示する。

136

お役立ち表現

料金表を見せてもらえますか？	Can I see a price list, please?
LA で乗り捨てできますか？	Can I drop off the car in LA?
ABC カレッジへ配車してもらえますか？	Can you send the car to ABC College?
返車の際、満タンにするんでしょうか？	Do I have to fill the tank when I check in?
最寄りのガソリンスタンドはどちらですか？	Where is the nearest gas station?
満タンにしてください	Fill it up, please.
ちょっと止まってくれる？	Can you pull over?
少しゆっくりと走って	Will you slow down a bit?
クラクションを鳴らして！	Blow the horn!
ブレーキをかけて！	Hit the brakes!

〈単語〉road map ●道路地図
traffic jam ●交通渋滞
freeway ●高速道路
toll road ●有料道路

flat tire ●パンク
out of gas ●ガス欠
unleaded ●無鉛
highway ●ハイウェイ

交通機関で ▮ レンタカーを借りる

おっとうっかり！

　レンタカーは借りるときが check out、返すときが check in。車用語は、米英で異なったり、日本語の呼び名では通じないものもあります。ハンドル wheel、クラクション horn、バックミラー rearview mirror、ウィンカー blinker [英 winker]、ガソリン gas [英 petrol]、アクセル gas pedal [英 accelerator]、ボンネット hood [英 bonnet] など。

ショッピングをする

ブティックで買い物を楽しむユミコ。
サイズの確認のために試着は大切です。

Can I try it on?
試着してもいいですか？

Yumi: Excuse me. Do you have this in a smaller size?
Clerk: Let's see. Here you go.
Yumi: Thanks. **Can I try it on?**
Clerk: Certainly. Here's the dressing room.

ユ　ミ：すみません、このデザインで小さめのはありませんか？
店　員：どうでしょう。あっ、ありました。
ユ　ミ：どうも。試着してもいいですか？
店　員：どうぞ。試着室はこちらです。

Do you take a traveler's check?
トラベラーズチェックは使えますか？

Yumi: I'll take this one.
Clerk: Thank you, ma'am. Would you like to pay by cash or charge?
Yumi: **Do you take a traveler's check?**
Clerk: Yes, certainly.

ユ　ミ：これを買います。
店　員：ありがとうございます。お支払いは現金ですか、カードですか？
ユ　ミ：トラベラーズチェックは使えますか？
店　員：はい、もちろんです。

買うなら I'll take this one. 、買わなければ I'll pass this one. と言う。「現金ですか、カードですか？」は Cash or charge? 、Cash or credit card? 、Cash or plastic? などと聞かれる。

138

お役立ち表現

閉店時間は何時でしょうか？	What time do you close?
営業時間を教えてもらえませんか？	What are your business hours?
見ているだけです	Just looking, thanks.
他の色はありますか？	Do you have any other colors?
値引きできますか？	Can you give me a discount?
返品したいです	I'd like to return this.
返金してくれますか？	Can I get a refund?
あれと交換はできますか？	Can I exchange this one for that?
別々に包装してもらえますか？	Can you wrap them separately?
おつりが間違っているようです	I think I got the wrong change.

〈単語〉discount ●値引き
business hours ●営業時間
dressing room/ fitting room/
changing room ●試着室

traveler's check ●トラベラーズチェック
refund ●返金
exchange ●交換
wrap ●包装する

おっとうっかり！

　ギフト用に包装してもらいたいときは専門カウンターで gift wrap を頼みますが、たいてい有料です。wrapping paper や ribbon を買って自分で包装してもいいですね。また、アメリカの通貨はニックネームで呼ばれることが多いので覚えておきましょう。1 ドル= buck、25 セント= quarter、10 セント= dime、5 セント= nickel、1 セント= penny。

町に出る　ショッピングをする

映画を見にいく

せっかくアメリカにいるんだから、
本場のアメリカ映画を見てみようと思ったユミコですが…。

Do you want to go catch a movie?
映画を見にいきませんか？

Yumi：Hey, Rita. **Do you want to go catch a movie tonight?**

Rita：What movie?

Yumi：Whatever you like.

Rita：Let's check the newspaper, shall we?

ユ　ミ：ねえ、リタ。今晩、映画見にいかない？
リ　タ：何の？
ユ　ミ：何でも好きなのでいいよ。
リ　タ：新聞をチェックしましょうか。

Two tickets for the next show, please.
次の上映のチケットを 2 枚ください

Yumi：(Can I have) **Two tickets for the next show, please.**

Clerk：I'm sorry but the next show is sold out.

Yumi：Oh? That's too bad.

Clerk：Tickets for the last show are available.

ユ　ミ：次の回のチケットを 2 枚ください。
係　　員：あいにく次の上映のチケットは売り切れました。
ユ　ミ：えっ？ それは残念。
係　　員：最終回のチケットならありますよ。

映画に行く、は catch a movie、go to see a movie、go to the movies。show「各回の上映」、
Now showing「上映中」。多くの劇場が入れ替え制。上映中の入退場は原則としてできない。

お役立ち表現

映画が大好きなの	I'm a big movie fan.
映画にはよく行くの？	Are you a moviegoer?
映画を見にいかない？	Would you like to go to the movies?
この最新映画を見たくない？	Do you want to see this latest movie?
その映画はもう見たよ	I have already seen that movie.
その映画はすばらしいそうよ	I hear the movie is great.
その映画はつまらないそうよ	I hear the movie is boring.
この監督の映画は必ず見ます	I never miss this director's movies.
昼興業はいくら？	How much is a matinee?
一般向きですか？	Is the movie G-rated?

〈単語〉 moviegoer ●映画によく行く人　　movie theater ●映画館
latest ●最新の　　　　　　　　drive-in theater ●ドライブイン劇場
director ●監督　　　　　　　　intermission ●休憩時間
matinee ●昼興業、マチネー　　box office ●チケット売り場

おっとうっかり！

　アメリカでは映画はすべて MPAA（米映画協会）がレーティングを行なっており、子どもや未成年者の視聴のめやすを設定しています。G ＝一般向き、PG ＝一般向きだが子どもの視聴には保護者の指導が望ましい、PG-13 ＝ 13 歳未満の子どもには保護者の付き添いが必要、R ＝成人向き・18 歳未満は保護者の付き添いが必要、NC-17 ＝ 17 歳未満お断り。

町に出る　映画を見にいく

スポーツをする

日本でやったことがなかったスポーツに
挑戦するのもいい経験です。

Do you play any sports?
どんなスポーツをしますか？

Jung: **Do you play any sports?**

Yumi: I play tennis. How about you?

Jung: I play tennis, too, but I love jogging.

Yumi: Wow. I'm not very good at running. How long do you usually jog?

ジュン：何かスポーツをやるの？

ユ　ミ：テニスをするわ。あなたは？

ジュン：ぼくもテニスはやるけど、ジョギングが大好きなんだ。

ユ　ミ：へえ。わたしは走るのがあまり得意じゃないな。普段どのくらい走るの？

Do you want to give it a try?
挑戦してみますか？

Jung: Have you ever played golf?

Yumi: No.

Jung: We are playing golf next Saturday. **Do you want to give it a try?**

Yumi: Sure. Why not?

ジュン：ゴルフをしたことある？

ユ　ミ：ない。

ジュン：今度の土曜にゴルフやるんだけど、やってみる？

ユ　ミ：ええ、ぜひ。

ジョギングをするは jog 、ジョギングする人は jogger 。Why not? は肯定の意思を強めて「喜んで、ぜひ」の意味。否定の意思を強めるには No way.「絶対だめ、いや」と言う。

お役立ち表現

何かスポーツをする？	Do you play any sports?
スポーツはお得意？	Are you a good athlete?
水泳は好き？	Do you like swimming?
ローラーブレードは好き？	Do you like roller-blading?
サーフィンに行きませんか？	Would you like to go surfing?
ビーチバレーボールをしない？	Shall we play beach volleyball?
いっしょにサッカーをしない？	Do you want to play soccer with us?
プロ野球を見るのが好きです	I like watching pro baseball.
スケートボードは日本で人気です	Skateboarding is popular in Japan.
何か武道をするの？	Do you practice any martial arts?

〈単語〉jog ●ジョギングする　　　　　roller-blade ●ローラーブレード
　　　　give it a try ●やってみる　　　skateboard ●スケートボード
　　　　Why not? ●ぜひとも　　　　　martial art ●武道
　　　　athlete ●スポーツマン/ウーマン　rent ●借りる

おっとうっかり！

　柔道、空手、合気道などはいまや国際的スポーツとなり、自己防衛手段としても高く評価されています。アメリカではバスケットボールとフットボールが人気があります。NBA [National Basketball Association] やNFL [National Football League] いずれもプロの試合の観戦はチケット入手がかなり困難でしょう。でもテレビ観戦という手があります。

町に出る　スポーツをする

大リーグ観戦に行く

ベースボール発祥の地で大リーグの試合を観戦。
ユミコは感激もひとしおです。

Tell me some basics about the major leagues.
大リーグについて基本的なことを教えてくれますか?

Yumi : (Can you) **Tell me some basics about the major leagues.**

Jung : Sure. They have the National League and the American League, and the winners of each group play play-offs to win the World Series championship.

ユ　ミ：大リーグについて基本的なことを教えてくれる?

ジュン：いいよ。ナショナルリーグとアメリカンリーグがあって、各リーグの勝者がワールドシリーズのチャンピオン目指してプレーオフを戦うんだ。

What happened there?
いまのプレーどうなりました?

Yumi : Wow, **what happened there?**

Jung : The pitcher picked off the runner going to third.

Yumi : Far out!

Jung : Now it's the Angels' turn to bat. C'mon Angels!

ユ　ミ：わっ、いまのプレーどうなったの?

ジュン：ピッチャーが 3 塁への牽制球で走者を刺したのさ。

ユ　ミ：すごい!

ジュン：次はエンジェルスの攻撃だ。がんばれ、エンジェルス!

---

pick off は野球の場合「牽制で刺す」、フットボールでは「インターセプトする」の意味。Far out! は「すごい!」「すばらしい!」。

お役立ち表現

大リーグ野球は好き？	Do you like major-league baseball?
好きな選手は？	Who is your favorite player?
好きなチームは？	What is your favorite team?
日本の野球選手を知ってる？	Do you know any Japanese baseball players?
日本にもプロ野球があります	We also have professional baseball in Japan.
セントラルとパシフィックリーグがあります	We have the Central League and the Pacific League.
行け行け、エンジェルス！（チャチャチャ）	LET'S GO ANGELS! LET'S GO [Cha-cha-cha]!
売店はどこですか？	Where is the concession stand?
この席空いてますか？	Is this seat taken?
友人を呼び出してください。はぐれたので	Can you page my friend, please? I lost him.

〈単語〉 stadium ●競技場
infielder ●内野手
outfielder ●外野手
baseman ●塁手

steal ●盗塁
strikeout ●三振
strike three call ●見のがし三振
struck out swinging ●空振り三振

おっとうっかり！

　大リーグではラッキーセブンとは言わず、代わりに seventh-inning stretch（セブンスイニングストレッチ）があります。7 回裏の地元チームの攻撃開始前にファンが立ち上がって Take Me Out to the Ball Game（わたしを野球に連れてって）の歌を合唱します。ストライクとボールの数え方は日本と逆で、2 ストライク 3 ボールは 3 and 2 と言います。

観光ツアーを申し込む

ユミコはヨセミテ国立公園へのバスツアーを
申し込むために旅行代理店へやってきました。

We'd like to stay there two nights.
向こうで二泊したいです。

Yumi : Hello. Could you tell us about the tours to
Yosemite National Park?

Clerk : Certainly. We have a one-day tour, a helicopter
tour, a one-night tour and a two-night tour.

Yumi : **We'd like to stay there two nights.**

ユ　ミ：こんにちは。ヨセミテ国立公園行きのツアーについて教えてください。
係　員：はい。日帰りツアー、ヘリコプターツアー、一泊、二泊ツアーがあります。
ユ　ミ：向こうで二泊したいです。

What's included in the two-night tour?
二泊ツアーには何が含まれているんですか？

Yumi : **What's included in the two-night tour?**

Clerk : The transportation to and from the park,
admission to the park and the accommodation.

Yumi : Does it include any meals?

Clerk : No. Meals will be at your own expense.

ユ　ミ：二泊ツアーには何が含まれているんですか？
係　員：公園までの往復交通費、公園の入園料、宿泊費です。
ユ　ミ：食事は含まれていますか？
係　員：いいえ。食事は自費になります。

---

a two-night tour のように two-night を形容詞として使うときには nights と複数形にはならない。
「自費で」は at your own expense または at your (own) cost。at your own risk は「自分の責任で」。

お役立ち表現

旅行代理店はどちら？	Where is the travel agency?
どんなツアーがありますか？	What kind of tours do you have?
何時間かかりますか？	How long is this tour?
パンフレットを見せてもらえますか？	May I see a brochure?
日本語のパンフレットはありますか？	Do you have a brochure in Japanese?
ガイド付きツアーですか？	Is this a guided tour?
ツアーに食事は含まれていますか？	Does the tour include any meals?
ツアーには何が含まれていますか？	What's included in the tour?
ツアーは何時にどこから出発しますか？	When and where does the tour start?
直前の特別料金はありますか？	Do you have any last-minute special offers?

〈単語〉 transportation ●交通機関、交通費　brochure ●パンフレット
admission ●入場、入場料　guided tour ●ガイド付きツアー
accommodation ●宿泊設備　standby ●キャンセル待ち
travel agency ●旅行代理店　departure ●出発

おっとうっかり！

　ツアーを申し込む際、何が含まれていて何が含まれていないのかをしっかり確認しておきましょう。パンフレットや申込書の控えによく目を通すと、出発時にピックアップしてくれるサービスがあるなどお得な発見もあるかもしれません。ツアーの前日や当日に申し込むと料金が割安になることがありますが、早めに申し込む方が確実で安心ですね。

縦書き右側: 町に出る　観光ツアーを申し込む

ホテルに泊まる

渡米後はじめて、ユミコはホストファミリーから離れて
ホテルで宿泊することにします。

We'd like to check in.
チェックインしたいのです

Yumi : **We'd like to check in.** We have a reservation.
Clerk : May I have your name, please?
Yumi : My name is Yumiko Saito.
Clerk : Miss Saito. Yes, we have a twin room reserved
for you.

ユ　　ミ：チェックインしたいのです。予約はしてあります。
係　　員：お名前をうかがえますか？
ユ　　ミ：斉藤ユミコです。
係　　員：ミス斉藤ですね。はい、ツインルームをおとりしてあります。

Do you have a safe deposit box?
貴重品を預かってもらえますか？

Clerk : Will you fill in this form, please?
Yumi : Sure. **Do you have a safe deposit box?**
Clerk : Yes, we do. Would you like to put your valuables
in this box and sign your name here?
Yumi : Thanks.

係　　員：この用紙にご記入お願いします。
ユ　　ミ：はい。貴重品は預かってもらえますか？
係　　員：承りました。こちらに貴重品を入れて、ここにお名前を書いてください。
ユ　　ミ：ありがとう。

May I have your name? は What's your name? よりも丁寧な聞き方。fill in は用紙などに必要
事項を書き込むことで fill out も同様に使われる。

148

お役立ち表現

今晩ツインルームは空いていますか？	Is there a twin room available tonight?
チェックアウトは何時ですか？	What time is check-out?
一泊おいくらですか？	What's the rate per night?
ホテルの名刺をもらえますか？	Can I have a hotel business card?
明朝6時にモーニングコールを頼めますか？	Can I ask for a wake-up call at six tomorrow morning?
かぎをもうひとつもらえますか？	Could we have another key?
部屋から閉め出されてしまいました	I locked myself out.
もう一泊できますか？	Can I stay one more night?
この請求は部屋につけておいてください	Please charge this to my room.
チェックアウトします	I'm checking out.

〈単語〉 reservation ●予約
vacancy ●空室
valuables ●貴重品
available ●使用できる
wake-up call ●モーニングコール
locked ... self out ●ロックアウトする
bell boy ●ベルボーイ
housekeeping ●客室清掃

おっとうっかり！

ホテルの部屋でのトラブルを伝えるには、The air conditioner is broken.「エアコンが壊れています」、The TV doesn't work.「テレビがつきません」、The toilet bowl is clogged.「トイレが詰まっています」、I need more toilet tissue.「トイレットペーパーが足りません」など。モーニングコールは wake-up call といいます。

町に出る　ホテルに泊まる

ファーストフードなら手軽でおいしくて経済的。
加えてチップの心配もなし。

Can I have a tuna sandwich, please?
ツナサンドイッチをひとつください

Yumi : **Can I have a tuna sandwich, please?**
Clerk : White bread or wheat?
Yumi : Wheat, please.
Clerk : All the veggies? Oil, vinegar, salt, pepper and mayo?

ユ　ミ：ツナサンドイッチをください。
店　員：パンはホワイト、小麦入り？
ユ　ミ：小麦入りで。
店　員：野菜はぜんぶですか？ オイル、ビネガー、塩こしょう、マヨネーズは？

To go, please.
テイクアウトします

Yumi : Can I have a double burger, small fries and a medium coffee, please?
Clerk : For here or to go?
Yumi : **To go, please.**
Clerk : All right. Hold on a second.

ユ　ミ：ダブルバーガー、フライドポテトのＳ、コーヒーのＭをください。
店　員：こちらで？ それともお持ち帰り？
ユ　ミ：持ち帰りで。
店　員：わかりました。少々お待ちを。

お持ち帰りは、take out 、take away 。フライドポテトはアメリカで（French）fries、イギリスで（potato）chips 。

お役立ち表現

チーズバーガーをひとつ、持ち帰りで	A cheeseburger to go, please.
ピクルスは入れないでください	No pickles in the burger, please.
コーラのLをひとつください	Can I have a large Coke, please?
イタリアンピザを一枚ください	Can I have a slice of Italian pizza, please?
このクーポンは使えますか？	Can I use this coupon?
＊ L、M、Sがありますが？	Large, medium or small?
＊ こちらで？それともお持ち帰りですか？	For here or to go?／Eat in or take out?
＊ ケチャップとマスタードはいりますか？	Ketchup or mustard?
＊ クラッカーをつけますか？	Do you want some crackers?
＊ 他にご注文はありますか？	Anything else?

〈単語〉fries ●フライドポテト　　　　veggie = vegetable ●野菜（口語）
　　　foot-long ●１フィートの　　　　vinegar ●ビネガー、酢
　　　turkey breast ●七面鳥の胸肉のハム mayo = mayonnaise ●マヨネーズ（口語）
　　　wheat ●小麦　　　　　　　　　takeout/takeaway ●テイクアウト

おっとうっかり！

　注文は「こちらでお召し上がりですか？お持ち帰りですか？」For here or to go? 、Eat in or take out? と聞かれます。車に乗ったまま注文から支払いまで済ませる drive-through [drive-thru] もファーストフードならでは。サンドイッチやタコスのオーダーではトッピングや調味料をいちいち聞かれますが、めげずにほしいものをゲットです！

レストランで食事をする

今日はイタリアンレストランで
おいしい食事をいただくことに。

I'll have spaghetti bolognese.
ボローニャ風スパゲティをください

Waiter: Are you ready to order now?
Yumi: Yes. **I'll have spaghetti bolognese** and stuffed mushrooms.
Waiter: All right. Would you like anything to drink?
Yumi: Ginger ale, please.

店　員：ご注文はお決まりですか？
ユ　ミ：はい。ボローニャ風スパゲッティとマッシュルームの詰めものを。
店　員：かしこまりました。お飲み物は？
ユ　ミ：ジンジャーエールをください。

Could we have the check, please?
お勘定をお願いします

Waiter: Did you enjoy your meal?
Yumi: Yes, thanks. **Could we have the check, please?**
Waiter: Certainly. Here you are.
Yumi: I'm afraid the bill is not correct. We didn't order this.

店　員：お食事はお口に合いましたか？
ユ　ミ：はい、どうも。お勘定をお願いします。
店　員：かしこまりました。こちらです。
ユ　ミ：請求が違っているようです。これは注文していません。

レストランでの注文は I'll have ... .または I'll take ... .と言う。勘定を頼むときは Check, please. または Bill, please. でも通じる。

152

お役立ち表現

4 人の席は空いていますか？	Do you have a table for four?
今晩 2 人の予約をしたいんですが	I'd like a reservation for two tonight.
服装の規則はありますか？	Do you have a dress code?
まだ注文を決めていません	We are not ready to order yet.
この料理をシェアしたいんですが	We'd like to share this dish.
デザートメニューをもらえますか？	Can we have a dessert menu, please?
注文したものと違います	This is not what I ordered.
これを持ち帰っていいですか？	Can I take this home?
お手洗いはどちら？	Where is the restroom?

〈単語〉menu ●メニュー
appetizer ●オードブル、前菜
boiled ●ゆでた、煮た
broiled ●じか火で焼いた
grilled ●グリルで焼いた
roasted ●じっくり焼いた
chilled ●冷やした

deep-fried ●揚げた
steamed ●蒸した
stewed ●煮込んだ
doggie bag ●食べ物を持ち帰る袋
check ●勘定書き、小切手
bill ●勘定書き、請求書、お札
go Dutch ●割り勘で

おっとうっかり！

レストランではテーブルごとに担当の店員が決まっており、他の店員にサービスを頼んでも断られます。公共の場所のトイレは restroom 、また ladies' room や men's room と呼び、toilet 「便所」とは言いません。席を外すときには Excuse me. と忘れずに言うこと。バッグや貴重品をテーブルやいすに置いたまま席を空けて、紛失したらあなたの責任です。

町に出る｜レストランで食事をする

ナイトライフを楽しむ

バーのハッピーアワーはお得な時間。
人気コンサートのチケットは入手できるかな。

I wonder if we can still get the tickets.
チケットはまだ手に入るかしら

Yumi: **I wonder if we can still get the tickets** for this concert tonight.

Makiko: We can call the box office and ask.

Rita: Let's go, anyway. We can line up on standby, and we might get lucky.

ユ　　ミ：今夜のこのコンサートのチケットまだ手に入るかなあ。
マ キ コ：チケット売り場に電話して聞いてみようか。
リ　　タ：とにかく行ってみようよ。キャンセル待ちで並べばいいし、運よくってこともあるしさ。

Do you want to go get a drink?
ちょっと飲みにいきませんか？

Yumi: **Do you want to go get a drink?** It's happy hour at the bar.

Rita: Okay. A small glass of Martini before dinner won't do me harm.

Yumi: That's the way.

ユ　　ミ：ちょっと飲みにいかない？ バーのハッピーアワーだよ。
リ　　タ：オッケー。夕食前にマティーニを一杯ってのも悪くないわよね。
ユ　　ミ：そうこなくっちゃ。

That's the way は「その調子、そうこなくちゃ」、line up は「並ぶ」、get lucky は「幸運に恵まれる」。might は高くない可能性について「ひょっとして〜かもしれない」の意味。

お役立ち表現

ミュージカルが観たい	I'd like to see a musical.
ジャズコンサートに行きたい	I'd like to go to a jazz concert.
今夜のショーのチケットはありますか？	Do you have tickets for tonight's show?
バルコニー席のチケットはいくらですか？	How much is a balcony ticket?
飲みに行かない？	Do you want to go get a drink?
ディスコに行かない？	Do you want to go to a disco?
いいナイトクラブを知ってる？	Do you know any good night clubs?
今晩ライブ演奏はありますか？	Do you have a live performance tonight?
入場料はおいくら？	How much is the cover charge?
チケット売り場に電話してみようか？	Shall we call the box office?

〈単語〉bar ●酒場（イギリスでは pub）　　cover charge ●入場料
　　　box office ●チケット売り場　　　balcony ●バルコニー席
　　　standby ●キャンセル待ち　　　orchestra ●（舞台正面の）一階席
　　　live performance ●ライブ演奏　　mezzanine ●中二階、二階席

おっとうっかり！

　バーやクラブに女性のみで行くと売春婦 [prostitute] ととられる場合があるので要注意。日本人は男女とも若くみられがちで、お酒を注文すると年齢を聞かれることがあるので ID を携帯すること。30 歳未満に見える人が確認の対象です。バーやレストランでは開店直後を happy hour と称して、飲み物を割引料金にしたりおつまみをサービスするこも。

町に出る　ナイトライフを楽しむ

銀行で両替をする

日本円を現金のドルに、
またドルのトラベラーズチェックを現金に替えます。

I'd like to change this into US dollars.
これを米ドルに両替してください

Yumi : **I'd like to change this into US dollars.** What's the exchange rate today?

Clerk : Certainly. It's .008 dollars to the yen.

Yumi : What's the exchange rate to the dollar?

Clerk : It's 125 yen to the dollar.

ユ　　ミ：これを米ドルに替えたいんですが。今日の為替レートは？
係　　員：かしこまりました。1 円 0.008 ドルです。
ユ　　ミ：1 ドルの為替レートは？
係　　員：1 ドル 125 円です。

Can you cash this traveler's check?
このトラベラーズチェックを現金にしてください

Yumi : **Can you cash this traveler's check?**

Clerk : Certainly. How would you like it?

Yumi : Three twenties, three tens and the rest in small change, please.

Clerk : Wait a minute.

ユ　　ミ：このトラベラーズチェックを現金にしてもらえますか？
係　　員：かしこまりました。どのようにしますか？
ユ　　ミ：20 ドル 3 枚、10 ドル 3 枚、残りは細かくしてください。
係　　員：少々お待ちを。

---

to the dollar「1 ドル当たり」、to the yen「1 円当たり」。アメリカの銀行で為替レートを聞くときは、「1 ドル当たり何円」かを確認。内訳は枚数＋額面 [three twenties ＝ 20 ドル 3 枚] で指定。

お役立ち表現

両替をしたいのですが	I'd like to exchange some money.
外貨の両替所はどこで すか？	Where is the foreign exchange counter?
米ドルに替えてくださ い	I'd like to change this into US dollars, please.
米ドルのトラベラーズ チェックに	I'd like to change this into a traveler's check in US dollars, please.
このトラベラーズチェ ックを現金に	I'd like to cash this traveler's check, please.
このお札をくずしてく ださい	I'd like to break this bill, please.
今日の為替レートは？	What is the exchange rate today?
手数料はおいくら？	How much is the commission?
20 ドル5枚、10 ドル 10 枚にしてください	Five twenties and ten tens, please.
領収書をください	May I have a receipt, please?

〈単語〉exchange ●両替、両替する　　　foreign exchange ●外国為替
　　　　exchange rate ●為替レート　　　break ●（お金を）くずす
　　　　cash ●現金、現金化する　　　　 bill ●お札
　　　　small change ●小銭　　　　　　 commission ●手数料

おっとうっかり！

　海外ではクレジットカードでの精算が一番便利ですが、キャッシュも多
少は必要。日本から外貨のトラベラーズチェックと現金を予算に応じて用
意していきましょう。トラベラーズチェックは現金に比べて、換金率がよ
い、安全性がある、現金化する際に手数料がかからないなど、さまざまな
メリットがあります。また、100 ドル札は偽札が多いので使えないことも。

町に出る　銀行で両替をする

郵便物を送る

ユミコはエアメールや荷物を
日本に送るために郵便局へやってきました。

I'd like to send this letter to Japan.
この手紙を日本に送りたいのです

Yumi: **I'd like to send this letter to Japan.**

Clerk: Airmail?

Yumi: Yes, please.

Clerk: That's one dollar.

ユ　ミ：この手紙を日本に送りたいんですが。

係　　員：エアメールで？

ユ　ミ：はい、そうです。

係　　員：1 ドルです。

I'd like to send this package to Japan.
この小包を日本に送りたいのです

Yumi: **I'd like to send this package to Japan.**

Clerk: Airmail or sea mail?

Yumi: How much do they cost?

Clerk: It will be seventy dollars by air and twenty-five by sea.

ユ　ミ：この小包を日本に送りたいんですが。

係　　員：エアメールですか？ 船便ですか？

ユ　ミ：それぞれいくらですか？

係　　員：エアメールは 70 ドル、船便は 25 ドルになります。

---

airmail は「航空便」、sea mail は「船便」、express は「速達」、registered は「書留」。by air は「飛行機で」、by sea は「船で」。

お役立ち表現

郵便局はどこですか？	Where is the post office?
ポストはどこですか？	Where is the mailbox?
切手はどこで買えますか？	Where can I buy stamps?
このハガキを日本に送りたいんですが	I'd like to send these postcards to Japan.
郵便代はおいくらですか？	How much is the postage?
50セント切手を5枚ください	Can I have five fifty-cent stamps?
速達にしてください	Express mail, please.
書留にしてください	Registered mail, please.
何時に郵便配達の人は来ますか？	What time does the mailman come?
郵便はまだ来ていません	The mail hasn't come yet.

〈単語〉post office ●郵便局　　　　　express ●速達
　　　　mailbox ●ポスト　　　　　registered ●書留
　　　　postcard ●ハガキ、絵ハガキ　letter box ●郵便受け
　　　　postage ●郵便代金　　　　zip code ●郵便番号

おっとうっかり！

　アメリカでは、各家庭の郵便受けに切手を貼った郵便物を入れておくと、郵便局員が郵便配達の際に集めてくれる地域もあります。町なかのポストは日本のように赤い色ではなく、地味な紺色なので見つけにくいかもしれません。最近では宅急便の Federal Express [FedEx] や DHL を使っても国際便を送れます。

病院／薬局へ行く

吐き気が止まらないユミコ。
病院で診察を受け、薬局で薬を調合してもらいます。

I can't stop vomiting.
吐き気が止まりません

Doctor: What seems to be the problem?

Yumi: **I can't stop vomiting.** I had several raw oysters.

Doctor: Probably it's food poisoning. I'll give you an infusion and a prescription.

Yumi: Thanks.

医　者：どうなさいました？

ユ　ミ：吐き気が止まりません。生がきをいくつか食べたのですが。

医　者：たぶん食中毒でしょう。点滴をして、処方せんを出しましょう。

ユ　ミ：ありがとう。

I need this prescription filled.
この処方薬を調合してもらいたいのです

Yumi: **I need this prescription filled.**

Clerk: Please write down your name, address and phone number here.

Yumi: How soon can I get it?

Clerk: It will be ready in half an hour.

ユ　ミ：この処方薬を調合してもらいたいんですが。

係　員：ここにお名前、住所、電話番号を記入してください。

ユ　ミ：どれくらいでできますか？

係　員：半時間ほどです。

What's the problem? の婉曲表現として、What seems to be the problem? と聞かれることが多い。「吐く」は vomit または throw up。fill はここでは「（処方薬を）調合する」こと。

お役立ち表現

救急車を呼んでください	Please call an ambulance.
緊急事態です	This is an emergency.
ファミリードクターに連れていってください	Can you take me to your family doctor?
ER の医師に診てもらえますか？	Can I see a doctor at ER?
予約をしたいんですが	I'd like to make an appointment.
日本語の話せる医師はいますか？	Is there a Japanese-speaking doctor?
彼女はひどく出血しています	She is bleeding badly.
彼は呼吸困難です	He is having trouble breathing.
＊ 24 時間以内に 4 服以上飲まないように	Do not exceed 4 doses in 24 hours.
＊ 眠くなるかもしれません	May cause drowsiness.

〈単語〉outpatient ●外来
　　　　appointment ●予約
　　　　ambulance ●救急車
　　　　emergency ●緊急事態

infusion ●点滴
prescription ●処方せん
dose ● （薬の）一服、一回の服用
pharmacy ●薬局

トラブル発生時に　病院／薬局へ行く

おっとうっかり！

　アメリカの警察と消防は 911。アメリカの病院で診察を受けるには予約が必要です。緊急事態の場合は、病院内の ER [=emergency room 、緊急治療室]で予約なしで診てもらえます。救急車はたいてい有料で、ECNALUBMA と書かれています。バックミラーで見ると AMBULANCE です。薬は処方せんを薬局に渡して調合してもらいます。

体調を正しく説明する

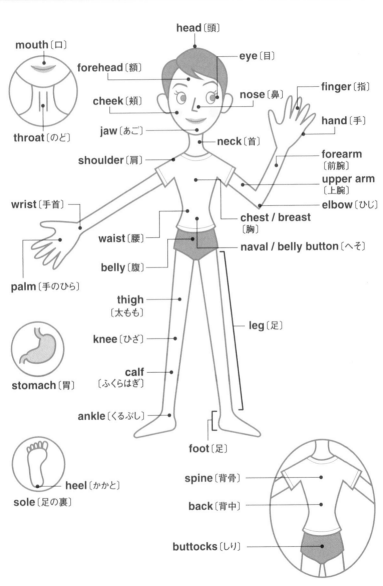

mouth〔口〕

forehead〔額〕

cheek〔頬〕

throat〔のど〕

jaw〔あご〕

head〔頭〕

eye〔目〕

nose〔鼻〕

finger〔指〕

hand〔手〕

neck〔首〕

shoulder〔肩〕

forearm〔前腕〕

upper arm〔上腕〕

elbow〔ひじ〕

chest / breast〔胸〕

wrist〔手首〕

waist〔腰〕

belly〔腹〕

naval / belly button〔へそ〕

palm〔手のひら〕

thigh〔太もも〕

knee〔ひざ〕

calf〔ふくらはぎ〕

leg〔足〕

stomach〔胃〕

ankle〔くるぶし〕

foot〔足〕

heel〔かかと〕

sole〔足の裏〕

spine〔背骨〕

back〔背中〕

buttocks〔しり〕

よくある体調の崩れ

headache	頭痛		stomachache	胃痛
toothache	歯痛		backache	腰痛
indigestion	消化不良		heartburn	胸焼け
diarrhea	下痢		constipation	便秘
sunburn	日焼け		sunstroke	日射病
muscle ache	筋肉痛		sprain	ねんざ
itch	かゆみ		numbness	しびれ
rash	発疹		stiff shoulders	肩こり
allergy	アレルギー		nausea	吐き気
frostbite	しもやけ		bugbite	虫さされ
hay fever	花粉症		anemia	貧血
asthma	ぜんそく		bad tooth	虫歯
runny nose	鼻水		stuffy nose	鼻づまり

救急車を呼ぶような状況の説明

unconscious	意識不明
in a coma	こん睡状態で
having trouble breathing	呼吸困難
bleeding badly	ひどい出血
badly hurt	ひどいけがをして
badly burned	ひどいやけどをして
broke one's leg	足を折った
coughing up blood	血を吐いている
having convulsions	ひきつけをおこしている
hit by a car	車にはねられて
shot by a gun	銃で撃たれて

大事なものの紛失や盗難

ユミコは大事なものが入ったバッグをなくしてしまったので、
警察へ届けます。

I lost my bag.
バッグをなくしました

Yumi : **I lost my bag.** I think it was stolen when I was
waiting for the bus.
Police : What's in it?
Yumi : My purse, passport and traveler's check. Has
anyone turned in my bag?

ユ　　ミ：バッグをなくしました。バスを待っているときに盗まれたみたいです。
警　　察：バッグには何が入っていました？
ユ　　ミ：財布にパスポート、トラベラーズチェックです。だれも届けてくれていま
　　　　　せんよね？

Please make out a report of the theft.
盗難証明書を作成してください

Yumi : **Please make out a report of the theft.**
Police : All right. Fill out this form.
Yumi : When will it be ready?
Police : Come back after three tomorrow.

ユ　　ミ：盗難証明書を作成してください。
警　　察：わかりました。この書類に記入して。
ユ　　ミ：いつできますか？
警　　察：明日 3 時過ぎにまた来てください。

「バッグを盗まれた」は My bag was stolen.、I had my bag stolen.。ここでの make out は
「作成する」。パスポートの再発行には写真が必要。万一に備えておくと所要時間が短縮される。

お役立ち表現

タクシーの中にポーチを置き忘れました	I left my purse in a cab.
パスポートをとられました	I had my passport stolen.
財布をすられました	I had my wallet stolen.
警察署はどこですか？	Where is the police station?
遺失物取扱所はどこですか？	Where is the lost and found?
日本大使館に電話をかけたいのですが	I'd like to call the Japanese Embassy.
クレジットカードをキャンセルしたいのです	I'd like to cancel my credit card.
代わりのカードを発行してもらえますか？	Could you issue me a replacement card?
トラベラーズチェックを再発行してください	Could you reissue my traveler's check?
使用控えです	Here is my record of the checks.

〈単語〉purse ● （女性の）財布、ポーチ issue ●発行する
wallet ● （男性の）財布、札入れ reissue ●再発行する
report of the theft ●盗難証明書 check butts ●小切手使用控え
pickpocket ●スリ countersign ●もう一度サインする

おっとうっかり！

紛失や盗難にあったら、パスポート→大使館、クレジットカード→カード会社、トラベラーズチェック→発行銀行、バッグや財布→警察へ即連絡。カード会社の連絡先やトラベラーズチェックの使用控えはカードや小切手とは別の場所に保管を。バッグや財布などはまず戻る望みは薄です。盗難保険の適応には盗難証明書が必要。

交通事故にあったら

車にはねられてしまったユミコ。
幸い軽傷でしたが、警察に事情を聞かれています。

Call an ambulance.
救急車を呼んで

M a n : Oh, my god! I hit somebody. Hey, you! Are you all right?

Y u m i : No. I feel dizzy. **Call an ambulance.**

M a n : Okay. Wait a minute!

男　　性：なんてこった！ 人をはねちまった。ちょっとあんた！ 大丈夫か？
ユ　ミ：いいえ。くらくらします。救急車を呼んで。
男　　性：よし。待ってな。

It was not my fault.
わたしに責任はありません

Police : What happened?

Y u m i : I was trying to cross the street and I was hit by a car.

M a n : This girl was jaywalking. My signal was green.

Y u m i : That's not true. I wasn't jaywalking. **It was not my fault.**

警　　察：何があったんだ？
ユ　ミ：青信号で通りを渡ろうとしていたら車にはねられました。
男　　性：この子の信号無視だよ。おれの信号は青だった。
ユ　ミ：違います。信号無視はしていません。わたしの責任ではありません。

Are you all right?「大丈夫？」と聞かれても、すぐ I'm all right.と答えないこと。内出血など
の障害や後遺症がないとは限らない。jaywalk は信号や交通規則を無視して街路を横切ること。

お役立ち表現

交通事故にあいました	I had a traffic accident.
衝突事故を見ました	I saw a car crash.
けが人がいます	Someone is injured.
救急車を呼んで	Call an ambulance.
運転手は酔っているようです	The driver seems drunk.
彼の車がわたしの車にぶつかってきました	His car bumped into mine.
追突されました	My car was struck from behind.
彼女の車がこの車を抜かそうとしていました	Her car was trying to overtake mine.
彼は信号に従っていませんでした	He didn't follow the signals.
彼女が角から飛び出してきました	She ran out from around the corner.

〈単語〉bump ●ぶつかる   rear-end collision ●追突
　　　overtake ●追い越す   hit-and-run ●ひき逃げ
　　　run out ●飛び出す   jaywalk ●交通規則を無視する
　　　head-on collision ●正面衝突   whiplash ●むちうち

おっとうっかり！

　交通事故でけがをしたら軽くても病院で検査してもらいましょう。けがをさせてしまった場合はけが人の救出が第一ですが、責任問題とは別。簡単に I'm sorry. と言うと自分に全責任がかかりかねません。相手の一方的な態度に困ったら I'd like to call the police. 「警察を呼びたい」、I'd like to see a lawyer. 「弁護士に会いたい」と対処を。

（右縦書き）トラブル発生時に　交通事故にあったら

強盗やゆすりにあったら

ホールドアップされたら抵抗しないこと。
でもゆすりやたかりにはユミコも対抗します。

I will call the police.
警察を呼びますよ

M a n : Hey! Look what you've done to me! You broke my
bottle of wine! You'd better pay me for this.

Y u m i : I didn't do it.

M a n : Are you blind? You know, this is very expensive.

Y u m i : Can I see the receipt? **I will call the police.**

男　　性：おい、何をしてやがんだ。おれのワインを割ったな。弁償してもらおうか。
ユ　　ミ：やっていませんよ。
男　　性：どこに目玉つけてんだ？ こいつは高いんだぜ。
ユ　　ミ：領収書見せてよ。警察を呼びますよ。

I have money here.
お金はここにあります

M a n : Hands up! Freeze. Hand over the money.

Y u m i : **I have money here.**

M a n : Is this all?

Y u m i : Yes. Don't shoot me.

男　　性：手を上げろ！ 動くな。金はあるか？
ユ　　ミ：お金はここです。
男　　性：これでぜんぶか？
ユ　　ミ：はい。撃たないで。

Freeze. は凍ったように手足を動かすなの意味。holdup されたら命を第一に無抵抗に徹すること。相手の顔をあまり見ない、騒がない。財布を出そうと手を動かさず here と目で伝える。

お役立ち表現

暴力はやめてください	No violence, please.
お金はここです	I have money here.
お金はあげます	Take my money.
これでぜんぶです	This is all I have.
撃たないで	Don't shoot me.
やめて！	Stop it!
ほっといて！	Leave me alone!
捕まえて！	Stop him!
うせろ！	Get lost! ／ Get out of here!

〈単語〉Freeze! ●動くな！　　　　　pay back ●弁償する
　　　Can it ! ●黙れ！　　　　　violence ●暴力
　　　Duck! ●伏せろ！　　　　　thief ●窃盗、泥棒
　　　Hand it over! ●金を出せ！　robber ●強盗
　　　Halt! ●止まれ！　　　　　burglar ●（住居での）強盗、夜盗
　　　holdup ●ホールドアップ　　police ●警察
　　　expensive ●高価な　　　　drug ●麻薬

おっとうっかり！

　普段現金を持ち歩かない人も、holdup 対策に多少の現金をポケットに用意しておくこともあります。スリに狙われやすいのがウエストポーチ。日本人は寄付や施しを請われたときに毅然と対処できず、カモになりやすいようです。危険地域や昼間でも人通りの少ない裏道は避けるのが賢明。コインをばらまいたり、時間や道順を聞いた隙にスリを働く手法にも注意。

知っておきたいチップの渡し方

食事

レストラン
料金の15～20%

バー
1杯につき1ドル
テーブル席の場合は料金の15%

ピザなどの宅配
料金の10～15%<1枚につき1～2ドル>

移動手段

タクシー
料金の10～15%
荷物の多いときは多めに払います。

観光バスガイド
丸一日のツアーの場合で2～4ドル
ツアーの所要時間や人数、受けたサービスに
よって加減します。

空港のポーター
荷物ひとつにつき1ドル。

ホテル

ベルボーイ
荷物ひとつにつき1ドル。

ルームサービス
料金の10～15%

ハウスキーパー
一泊当たり1～2ドルを毎朝枕の下に置きます。

その他、ファーストフード、ショップやスーパーマ
ーケットの店員、スクール内のカフェテリアやシ
ョップ、病院、薬局、機内のフライトアテンダント
など、チップのいらない場合も多々あります。

チップの渡し方

直接渡すとき
Thank you.「ありがとう」や
This is for you.「これどうぞ」と言って手渡します。

レストランで現金で支払うとき
テーブルの上に置いていきます。

レストランでカードで支払うとき
請求書にgratuity（心づけ）の欄があるので、
そこにチップの金額を書き込み、合計金額を記
入してからサイン。
サービスチャージとしてすでに書き込まれてい
る場合もあります。

料金にプラスして払うとき
Keep the change.
「おつりはとっておいて」などと言います。

いくらか返金してもらうとき
Give me two back, please.
「2ドル返してください」と請求します。

何人かでまとめて支払うとき
How much should we tip?
「チップはいくらにする?」と相談します。

数字はめやすです。受けたサービスによって
金額を加減するのがふつうです。

Part

④

日本について話す

日本について話す

外国に行くと日本の文化や生活についてよく聞かれます。
日本人だからといって日本についてすべて理解しているわけではないのですが、
基本的な知識や情報はおさえておきたいものです。
日本全体について話そうとすると難しいので、
家族や知人など身近な人の話からすすめていくといいでしょう。

Area?

378 thousand square kilometers -
a little smaller than California.
One third is covered with forests,
and most of it is mountainous.

●面積は?

37万8千平方キロ。米国のカリフォルニ
ア州よりも少し小さいくらい。国土の3分
の1は森林で、そのほとんどが山地。

Forest（森林）／251.4 thousand km^2（66.5%）
Farm land（農用地）／51.3 thousand km^2（13.5%）
Land for building（宅地）／17 thousand km^2（4.6%）

（日本列島）
The Japanese Archipelago

Hokkaido

（日本海）
The Sea of Japan

（太平洋）
The Pacific
Ocean

Honshu

Osaka

Tokyo

Kyushu

Shikoku

Okinawa

●単位変換　　1 square yard＝0.836㎡　　1 yard＝0.914m　　1 foot＝0.305m
　　　　　　　1 square mile＝2.59k㎡　　1 inch＝2.54cm　　1 mile＝1.609km
　　　　　　　F〔華氏、Fahrenheit〕＝$\frac{9}{5}$C〔摂氏、Centigrade〕＋32

Population?

The population was estimated to be 126 million in 1997. Society is aging rapidly, and people over 65 years old comprise 15.7% of the population. It is estimated that by 2015 one in four people will be in this age group. At the same time, as a result of a drop in the number of children, the population is estimated to decrease to about 100 million in 2050.

●人口は?
　1997年の推計は1億2600万人。高齢化が進んでおり、65歳以上の高齢者が占める割合は15.7%、2015年には4人に1人の割合になると予想されている。同時に少子化が進行しており、2050年には総人口は1億人くらいに減少するものと見込まれている。

Population in Tokyo〔東京の人口〕／11,808 thousand（1997）
Population in Osaka〔大阪の人口〕／8,802 thousand（1997）
Life expectancy〔平均寿命（1997）〕／male〔男性〕:77.19、female〔女性〕:83.82
Registered foreigners〔登録外国人数〕／1,482,707（1997）
Number of children a woman gives birth to in life〔女性の生涯出産数〕／1.38（1998）

日本について話す

Climate?

There are four seasons, and it is relatively warm all year round. Japan is battered by an average of 13.8 typhoons every year.

●気候は?
　四季があり、年間を通じて比較的温暖。1年に平均13.8回の台風が日本を襲う。

Annual average temperature〔平均気温〕／15.6 ℃（Tokyo）
Annual precipitation〔年間降水量〕／1,405 mm（Tokyo）
Annual total of sunshine hours〔年間日照時間〕／1,811 hours（Tokyo）
Annual total of relative humidity〔年平均相対湿度〕／64 %（Tokyo）

Transportation?

Airways and highways aside, the Shinkansen bullet train has become a major method of transport, connecting Osaka and Tokyo in about two and a half hours.

●交通は?

航空網、高速道路の他に、新幹線が重要な移動手段として普及し、東京～大阪間を2時間30分で結んでいる。

Education?

It is compulsory to go to primary school for six years and middle school for three years. Nearly all children go to high school, and almost half go to universities or junior colleges. Many primary and middle school students go to cram schools and take various lessons after their regular school classes.

●教育は?

義務教育は小学校6年間と中学校3年間。ほぼ全員が高校へ進学し、大学・短大へは半数近くが進学する。小、中学生でも、放課後、学習塾や習いごとに通う子どもが多い。

高校への進学率／96.8%（1997）
大学・短大への進学率／47.3%（1997）
Cram school〔学習塾（1993）〕／小学生:23.6%、中学生:59.5%
Various lessons〔習いごと(1993)〕／小学生:76.9%、中学生:28.3%
Annual household cost for education〔家計に占める年間教育費(1996)〕／
　小学生:269,000 yen、中学生:401,000 yen
Annual living cost of a college student〔大学生の年間生活費(1996)〕／
　Those who live with their parents〔自宅〕:1,726,500 yen
　Those who live away from their parents〔下宿〕:2,439,700 yen

Job?

The eight-hour workday and five-day workweek is becoming normal. Lifetime employment and the seniority system at companies are slowly dying out, and young people's sense of belonging to a company is wearing thin. The number of women who work is increasing.

●仕事は?

勤務時間は通常1日8時間で週休2日制が普及している。企業の終身雇用と年功序列制度が崩れてきており、若者の企業への帰属意識は従来より希薄になってきている。働く女性の数は増加している。

Average monthly starting salary of a college graduate〔大学卒の平均初任給(1997)〕／
male〔男性〕:194,000yen、female〔女性〕:186,000yen
Employment of women over fifteen years old〔15歳以上の女性の就業率(1997)〕／
employed〔就業者〕:48.6%、housekeeper〔家事従業者〕:30.4%
Unemployment rate〔失業率〕／4.8%(April,1999)

Religions?

Buddhism and Shintoism are both Japanese traditional religions. We have about eighty thousand of temples and seventy-five thousand shrines throughout the country, and both religions are rooted in Japanese life and culture. Many of us believe in both.

●宗教は?

仏教と神道が日本の伝統宗教。国内に8万余りの神社、7万5千余りの寺院があり、日本人の生活や文化に根ざしている。仏教と神道の両方を信仰している人も多い。

Shintoists〔神道信者(氏子)〕／102,214,000(1996)
Buddhists〔仏教信者(檀徒)〕／91,584,000(1996)
Christians〔クリスチャン〕／3,169,000(1996)
Shrines〔神社〕／81,262(1996)
Temples〔寺院〕／75,916(1996)
Churches〔教会〕／3,960(1996)

日本について話す

Marriage?

The average age of men and women when first married in 1998 is 28.6 for men and 26.7 for women. The divorce rate is increasing. Most people get married in Shinto- or Christian-style ceremonies.

●結婚は?

1998年の平均初婚年齢は、男性が28.6歳、女性が26.7歳。離婚率は増加している。ほとんどの人は神前または教会で結婚式を挙げる。

Annual number of marriages〔年間結婚件数(1998)〕／784,580
Annual number of divorces〔年間離婚件数(1998)〕／243,102
Average cost for a wedding ceremony〔結婚式の平均費用〕／3,543,000 yen (1998)
Popular honeymoon destinations〔人気のある新婚旅行先〕／Hawaii, Australia & New Zealand, America, Europe

Politics?

The national assembly〔diet〕is made up of the House of Representatives and the House of Councilors , and deliberates and votes on the national budget. Members are elected by direct polling of the people, and the term of office is four years for the House of Representatives and six years for the House of Councilors.

●政治は?

国会は衆議院と参議院の2院からなり、国家予算の審議や議決を行なう。両議員とも国民による直接投票で選ばれ、任期は衆議院は4年、参議院は6年。

Housing?

Most houses have both Japanese- and Western-style rooms. Land prices are very high in the cities, so many people live in apartments. Nuclear families make up a majority of households, however single households are on the increase.

●住宅は?

和洋折衷の家が多い。大都市では地価が高いため、アパートやマンションに住む人が多い。核家族が世帯の過半数を占めるが、単身世帯も増加している。

Ratio of owned houses〔持ち家率(1993)〕／nationwide〔全国〕：59.8％、Tokyo：39.6％
Average land price〔平均地価(1993)〕／Hokkaido：31,600 yen、Tokyo：372,200 yen（per 1m²）
Highest land price〔最高路面地価(1998)〕／Ginza in Tokyo：11,800,000 yen（per 1m²）
Average number of rooms in a house〔家の平均部屋数(1993)〕／nationwide：4.85、Tokyo：3.52
Average number of members in a household〔平均世帯人員〕／2.79（1997）
Ratio of nuclear families〔核家族の割合〕／58％（1997）
Ratio of single households〔単身世帯の割合〕／25％（1997）

New Year?

Most people have a week off work over the New Year period, and families celebrate the new year together. New Year's cards are exchanged, people eat traditional dishes called Osechi and Zoni, and visit shrines. Children get money as a New Year's present from their relatives.

●新年は?

ほとんどの人は年末年始に1週間くらいの休暇をとり、家族が集まって新年を祝う。年賀状を交換し、おせち料理やお雑煮を食べ、初詣に出かける。子どもは親や親戚からお年玉をもらう。

Number of people who visited a shrine during the New Year's first three days〔初詣の人出〕／88,110,000（1999）
Average New Year's money gift for children of 11 and 12 years old〔小学校5、6年生のお年玉平均〕／26,790 yen（1999）
Number of new year's postcards printed〔年賀状の印刷数〕／4,225,000,000（1998）

Vacations?

Aside from New Year's holiday, there is also a holiday from the end of April to the beginning of May called Golden Week, and a holiday called O-Bon, when the spirits of the ancestors are believed to return to earth, which many businesses incorporate into summer holidays.

●休暇は?
正月休み以外には、4月末から5月初めに祝日が続くゴールデンウイークに休暇をとる。祖先の霊が戻ってくるとされるお盆の時期に夏休みを組み入れる企業が多い。

> Annual number of tourists who went overseas〔年間海外旅行者数〕／16,802,750 (1997)
> Annual paid holidays〔年次有給休暇 (1997)〕／Entitled〔付与〕:17.4days、Actually taken〔取得〕:9.4days

Holidays?

We have 15 national holidays in a year.

●祝日は?
国民の祝日は1年に15日。

> New Year's Day〔元日 (January 1)〕
> Coming-of-Age Day〔成人の日 (January 15)〕
> National Foundation Day〔建国記念日 (February 11)〕
> Vernal Equinox Day〔春分の日 (late March)〕
> Green Day〔みどりの日 (April 29)〕
> Constitution Day〔憲法記念日 (May 3)〕
> National Holiday〔国民の祝日 (May 4)〕
> Children's Day〔子どもの日 (May 5)〕
> Ocean Day〔海の日 (July 20)〕
> Respect-for-the-Aged Day〔敬老の日 (September 15)〕
> Autumnal Equinox Day〔秋分の日 (late September)〕
> Health-Sports Day〔体育の日 (October 10)〕
> Culture Day〔文化の日 (November 3)〕
> Labor Thanksgiving Day〔勤労感謝の日 (November 23)〕
> The Emperor's Birthday〔天皇誕生日 (December 23)〕

Traditional Events?

●伝統行事は?

節分 (February 3)

Setsubun is the day preceding the first day of spring. People throw beans in and around the house, shouting "Good luck in! Devils out!".

節分は立春の前日で、家の内外に「福は内、鬼は外」と叫びながら大豆をまく。

ひな祭り (March 3)

Hinamatsuri is a festival for girls, and dolls are displayed in ancient costumes to pray for the health and happiness of girls.

ひな祭りは女の子の祭りで、女の子の成長や幸福を願ってひな人形が飾られる。

端午の節句 (May 5)

Tango-no-sekku is a festival for boys, and people pray for the strength and health of boys, represented by the carp streamers hoisted outside. The day is celebrated as Children's Day.

端午の節句は男の子の祭りで、屋外にこいのぼりをたててたくましく育つことを願う。この日は子どもの日として祝日になっている。

七夕 (July 7)

Tanabata is a star festival. People write their wishes on pieces of paper and tie them to bamboo trees. This festival is based on the legend of two stars, Altair and Vega, which can only meet in the Milky Way once a year.

七夕は星の祭りで、願いごとを短冊に書き、それを笹竹に飾る。この祭りは、天の川を挟んで1年に1度しか会うことのできない牽牛星と織女星の伝説がもとになっている。

七五三 (November 15)

Shichi-go-san is a festival to pray for the health of children aged three, five and seven years old. Parents dress their children up in traditional or modern costumes, take them to shrines and pray for their children's continued health.

七五三は3歳、5歳、7歳の子どもの成長を祝う行事。親は着飾った子どもを地元の神社へ連れていき、今後の変わらぬ健康と成長を祈願する。

参考資料

日本統計年鑑 平成11年／朝日年鑑 1999／青少年白書 平成10年度版／こども白書 1998／労働白書 平成10年度版／生活白書 平成10年度版／理科年表 1999／朝日新聞／読売新聞／産経新聞／日本経済新聞／けっこんぴあ

日本について話す

知っておきたいジェスチャーの意味

ジェスチャーもコミュニケーションの大切なツールです。
映画やテレビで目にしたことのあるものも多いでしょう。
基本的な欧米人のジェスチャーの意味をおさえておきましょう。

Good!
やった！

親指を上に立てて相手に示します。
両方の指を使うときもあります。

No good!
最低！

親指を下に向けて
不快感を相手に示します。

Come here!
こっちこっち！

上に向けた手のひらで招きます。

Go away!
あっち行って！

手のひらを下に向けて振ります。

欧米では通じない日本人のジェスチャー

● 人差し指を自分の鼻に当てても「自分」の意味にはなりません。
● 親指と人差し指で円をつくると日本では「お金」の意味がありますが、欧米では「OK」のサインです。
● 日本人が「こっちよ!」と手招きするジェスチャーは、欧米人の「あっちに行って」の意味と誤解されます。

Money
お金

手のひらを上に向けてお金を数えるように
親指と人差し指をすりあわせます。

*I'll keep
my fingers crossed.*
幸運を祈っています

中指を人差し指の上に重ねて十字にします。
子どもが嘘をつくときは、
後ろ手にこのジェスチャーをしていることも。

Me
私

親指で自分の胸を差します。

I don't know.
わからない

両手を広げ肩をすくめます。
I can't help it.「どうしようもない」の
意味でも使われます。

衣服サイズ早見表

●For Women

服 dress size	日本	6号	7号	9号	11号	13号	15号	17号
	米式	6	8	10	12	14	16	18
	英式	30	32	34	36	38	40	42
	欧州	34	36	38	40	42	44	46

※ブラウス・セーターはこれより大きめに換算します。

靴下 stocking size	日本	22.5cm	23cm	23.5cm	24cm	24.5cm	25cm	25.5cm
	英米式	9	9	9 1/2	9 1/2	9 1/2	10	10
	欧州	22 1/2	23	23 1/2	24	24 1/2	25	25 1/2
	日本	26cm	26.5cm	27cm	27.5cm	28cm	28.5cm	29cm
	英米式	10	10 1/2	10 1/2	11	11	11	11 1/2
	欧州	26	26 1/2	27	27 1/2	28	28 1/2	29

靴 shoe size	日本	22.5cm	23cm	23.5cm	24cm	24.5cm	25cm	25.5cm
	米式	5	5 1/2	6	6 1/2	7	7 1/2	8
	英式	4	4 1/2	5	5 1/2	6	6 1/2	7
	欧州	35	36	37	38	39	40	41
	日本	26cm	26.5cm	27cm	27.5cm	28cm	28.5cm	29cm
	米式	8 1/2	9	9 1/2	10	10 1/2	11	11 1/2
	英式	7 1/2	8	8 1/2	9	9 1/2	10	10 1/2
	欧州	42	43	44	45	46	47	48

※靴下・靴のサイズは男女兼用です。

●For Men

ワイシャツ shirt size	日本	36cm	37cm	38cm	39cm	40cm	41cm	42cm	43cm
	英米式	14	14 1/2	15	15 1/2	16	16 1/2	17	17 1/2
	欧州	36	37	38	39	40	41	42	43

上着 jacket size	日本	S		M		L		LL	
	英米式	34	36	38	40	42	44	46	48
	欧州	42	44	48	50	52	54	56	58

帽子 hat size	日本	53cm	54cm	55cm	56cm	57cm	58cm	59cm	60cm
	英米式	6 1/2	6 3/4	6 7/8	7	7 1/8	7 1/4	7 3/8	7 1/2
	欧州	53	54	55	56	57	58	59	60

※表のサイズはおおよその目安です。必ず試着してから購入しましょう。

● 電話のかけ方 ●

海外への直通電話のかけ方
How to call overseas direct

● 日本からアメリカ・ニューヨーク(0212)123-4567へかける場合

アクセス番号 access number		アメリカの 国番号 country code	ニューヨークの 地域番号 area code	相手先の番号 local number
□□□□	—	1 —	212 —	123-4567

ex.
日本テレコム・0041
KDD・001
IDC・0061
DDI・0078

※市街局番の
最初の「0」は除く

海外から日本への直通電話のかけ方
Japan direct from overseas

● イギリスから日本・東京(03)1234-5678へかける場合

イギリスの 国際電話識別番号 access number	日本の 国番号 country code	東京の 地域番号 area code	相手先の番号 local number
00 —	81 —	3	1234-5678

※市街局番の
最初の「0」は除く

国番号・識別番号一覧

地域	国　名	国番号	識別番号	地域	国　名	国番号	識別番号
ヨーロッパ	イギリス	44	00	オセアニア	オーストラリア	61	0011
	フランス	33	19		ニュージーランド	64	00
	ドイツ	49	00	南米	ブラジル	55	00
	イタリア	39	00	アフリカ	エジプト	20	00
	スイス	41	00	アジア	中　国	86	00
	スペイン	34	07		香　港	852	00
	オランダ	31	00		韓　国	82	00
	ギリシャ	30	00		インド	91	00
	ロシア連邦	7	810		インドネシア	62	001
北米	アメリカ	1	011		マレーシア	60	007
	カナダ	1	011		シンガポール	65	004
	ハワイ	1	011		タ　イ	66	001
	グアム	1	001		東　京	81	001

183

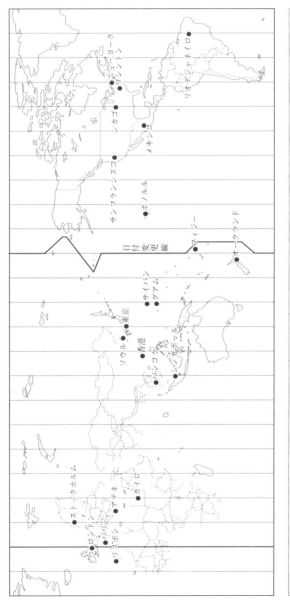

世界各国の時差早見表

ロンドン	パリ ローマ ストックホルム ベルリン アムステルダム						バンコク	香港 シンガポール	ソウル 東京	アデレード				ホノルル		サンフランシスコ ロサンゼルス	デンバー	シカゴ メキシコ	ニューヨーク ワシントン トロント			リオデジャネイロ	
15	16	17	18	19	20	21	22	23	24	1	2	3	4	5	6	7	8	9	10	11	12	13	14
16	17	18	19	20	21	22	23	24	1	2	3	4	5	6	7	8	9	10	11	12	13	14	15
17	18	19	20	21	22	23	24	1	2	3	4	5	6	7	8	9	10	11	12	13	14	15	16
18	19	20	21	22	23	24	1	2	3	4	5	6	7	8	9	10	11	12	13	14	15	16	17
19	20	21	22	23	24	1	2	3	4	5	6	7	8	9	10	11	12	13	14	15	16	17	18
20	21	22	23	24	1	2	3	4	5	6	7	8	9	10	11	12	13	14	15	16	17	18	19
21	22	23	24	1	2	3	4	5	6	7	8	9	10	11	12	13	14	15	16	17	18	19	20
22	23	24	1	2	3	4	5	6	7	8	9	10	11	12	13	14	15	16	17	18	19	20	21
23	24	1	2	3	4	5	6	7	8	9	10	11	12	13	14	15	16	17	18	19	20	21	22
24	1	2	3	4	5	6	7	8	9	10	11	12	13	14	15	16	17	18	19	20	21	22	23
1	2	3	4	5	6	7	8	9	10	11	12	13	14	15	16	17	18	19	20	21	22	23	24
2	3	4	5	6	7	8	9	10	11	12	13	14	15	16	17	18	19	20	21	22	23	24	1
3	4	5	6	7	8	9	10	11	12	13	14	15	16	17	18	19	20	21	22	23	24	1	2
4	5	6	7	8	9	10	11	12	13	14	15	16	17	18	19	20	21	22	23	24	1	2	3
5	6	7	8	9	10	11	12	13	14	15	16	17	18	19	20	21	22	23	24	1	2	3	4
6	7	8	9	10	11	12	13	14	15	16	17	18	19	20	21	22	23	24	1	2	3	4	5
7	8	9	10	11	12	13	14	15	16	17	18	19	20	21	22	23	24	1	2	3	4	5	6
8	9	10	11	12	13	14	15	16	17	18	19	20	21	22	23	24	1	2	3	4	5	6	7
9	10	11	12	13	14	15	16	17	18	19	20	21	22	23	24	1	2	3	4	5	6	7	8
10	11	12	13	14	15	16	17	18	19	20	21	22	23	24	1	2	3	4	5	6	7	8	9
11	12	13	14	15	16	17	18	19	20	21	22	23	24	1	2	3	4	5	6	7	8	9	10
12	13	14	15	16	17	18	19	20	21	22	23	24	1	2	3	4	5	6	7	8	9	10	11
13	14	15	16	17	18	19	20	21	22	23	24	1	2	3	4	5	6	7	8	9	10	11	12
14	15	16	17	18	19	20	21	22	23	24	1	2	3	4	5	6	7	8	9	10	11	12	13

□ 前日に当たる部分
■ 翌日に当たる部分

OTHER: +1 シドニー メルボルン　　-7 ヘルシンキ アテネ ケープタウン
　　　　-1 北京 台湾 クアラルンプール　　-8 マドリード ミュンヘン

● ＋記号は日本より遅い時差を、－記号は日本より早い時差を表します。●夏時間採用期間中は、表の時間より1時間早くなります。

索引

あ

会いたい ● 97
会いにきて ● 95
アイロンを貸して ● 69
会えてよかった ● 79
会える日を願って ● 95
空き缶 ● 43
明日する ● 41
遊ばない？ ● 64
頭にきている ● 24
アドバイザー ● 124
ありがとう ● 22
ありがとう（心から）● 95
ありがとう（ご助力）● 22・123
ありがとう（誘ってくれて）● 58
ありがとう（受け入れてくれて）● 29
ありがとう（何もかも）● 97
ありがとう（迎えにきてくれて）● 31

い

ER ● 161
いい〜知ってる？ ● 155
いい天気 ● 134
行かない？ ● 140
行かなくちゃ ● 20
行き方 ● 46
いくら？ ● 23
いくら？（運賃）● 132
いくら？（入場料）● 155
遺失物取扱所 ● 165
忙しい（このところ）● 58・97
忙しいの ● 45
痛い ● 75
いっしょに ● 76
いっしょにしない？（スポーツ）● 143
いっしょにどう？ ● 108
行ってみたい ● 92
いつでもどうぞ ● 22
いつでも入ってきて ● 45
いっぱいですか？ ● 127
入れないで ● 151
色違い ● 139
インスタントの日本食 ● 85

う

受け入れてくれてありがとう ● 29
うまいね ● 107
うらやましい ● 24
うれしい ● 24

え

うんざり ● 24
映画 ● 140
映画を見にいかない？ ● 111
営業時間 ● 139
英語がうまいね ● 107
英語学校へ通います ● 25
英語の勉強で来ています ● 135
英語を話しません ● 125
エクスカーション ● 126

お

おいしい ● 48
お祈り ● 93
お金がない ● 59
お気の毒に ● 24・113
教えて（基本的なことを）● 144
教えて（ツアーについて）● 146
教えて（着いたら）● 133
教えて（使い方・仕方）● 41・123
教えます ● 85
遅くなるときは ● 72
おつりが間違っている ● 139
驚いた ● 24
お願いがある ● 53
話してもいい？ ● 52
お待たせ ● 22
おみやげがある ● 35
思いつめないで ● 112
オリエンテーション ● 102
音量を上（下）げてもいい？ ● 63

か

カープール ● 47
快適な旅だった ● 31
書いてもらえる？ ● 33
ガイド ● 147
買い物に行かない？ ● 110
買い物に行った ● 53
返したい ● 59・123・139
書留 ● 159
かぎを貸して ● 45
かぎをもらえる？ ● 149
学割はある？ ● 133
家族について ● 50
家族のことを教えて ● 109
家族は何人？ ● 29
がっかり ● 24
買って返したい ● 57

カトリック教徒● 93
悲しい● 24
カフェテリア● 109
借りたい（本を）● 122
借りてもいい？● 68
借りる（車）● 136
ガレージセール● 90
為替レート● 157
観光ツアー● 146
感謝している● 95
勘定● 152
簡単すぎる● 125
感動している● 24
がんばって● 113

き
機会はある？● 121
帰宅時間● 45 ・ 73
貴重品を預かって● 148
切手● 159
切符● 130
気に入った● 34
気に入ってもらえるといいのに● 35
気分じゃない● 59
キャンセル● 127
キャンセル（クレジットカード）● 165
休暇をとった● 105
救急車を呼んで● 161
急なんだけど● 115
教会● 93
教室● 103
今日は楽しかった● 52
興味があるかと思ったんだけど● 111
興味がない● 93
共用？● 35
禁煙席● 25
銀行● 156
緊張している● 24

く
具合が悪い● 74
クーポン● 151
薬の飲み方● 161
ください● 25 ・ 61
クラス替え● 125
車で送って● 71
車に酔った● 71
苦労した● 52

け
経営学● 105
警察署● 165
警察を呼びますよ● 168
けが人がいる● 167
けっこう。歩いて帰る● 69
元気？● 20
元気出して● 113
現像● 60

こ
ごいっしょさせて● 76
厚意● 95
交換● 139
紅茶をもらえる？● 39
交通事故● 166
行程● 127
強盗● 168
コーヒーメーカーを貸して● 39
誤解しないで● 23
ご苦労さま● 22
ご自由にどうぞ● 79
コショウをとって● 49
ごちそうさま● 48 ・ 49
小包を送る● 158
来ない？● 111
困っている● 124
ゴミ● 43
ごゆっくり● 35
来られてうれしい● 31
コレクトコール● 67
恐い● 24
コンサート● 154
今度誘って● 59
こんにちは● 20

さ
最高● 20
最低● 20
再発行● 165
探している● 61
誘ってくれてありがとう● 58
参加したい● 126
参加する● 83
賛成● 118

し
市街図を貸して● 35
時間（テスト）● 103
時間割● 103
時刻表● 133

187

自己紹介●31・32・33
事実じゃない●23
したことがある？●85
試着●138
質問がある●103
～してみる？●142
自転車を貸して●69
自分で（するの、買うの）？●41
閉め出された●149
じゃあね●20
写真を同封した●29
ジャパンデイ●120
シャワー／バスを貸して●38・39
シャワーの時間●39
就寝時間●45
週末●111
重要じゃない●119
授業料●103・104
出身地は●50
商社●105
招待したい●121
上達したい●105
しょうゆをかけてもいい？●49
職業は●51・109
食事をとっておいて●45
ショッピング●138
処方せん●160
申告●25
親切●95
心配しないで●22・113
心配だ●24

す

スーパーマーケット●60
好き？（先生を）●107
好き嫌い（食べ物）●49
好きだ（大好き）●141
好き（どんなものが？）●83
好きな～は？●145
頭痛がする●59
すっぽかさないで●115
すてきな（髪型、服装）ね●107
すてきなお家●79
すばらしい●97・141
すばらしい眺め！●76・77
すばらしいパーティ●79

スペルは？●33
スポーツ●142
すみません●57
すられた●165
～するべきだろうか？●93
座ってもいい？●25

せ

整とん●41
生理●75
生理用ナプキン●43
席空いてる？●145
責任はない●166
専攻は●104
先生●107・111
洗濯機／乾燥機を貸して●41
洗濯を手伝おうか？●55
そういう気分じゃない●59
掃除機を貸して●41・42
速達●159

そ

退屈だ●24
滞在期間●25
たいしたことはない●75
大丈夫●22
大変ね●113
大リーグ●144
タクシー●130
助かるよ●22・123
～だといいのに●35
楽しかった●94・106
楽しく過ごす●97
楽しみだ●24・29・126
楽しんでる？●79
タバコを吸ってもいい？●43
ダブルデート●115
食べきれない●49
食べ残し●153
食べ物をもらえる？●49
食べられる？●84
試してみたい？●85
タレント●63
短期大学●105
誕生日おめでとう●82

た

チェックアウト●149
チェックイン●148
チェックイン（搭乗手続き）●25

ち

違いは何？● 117
地下鉄● 130
チケットはある？● 155
チケットをください● 140
地図● 47 ・ 133
注文と違います● 153
朝食は食べない● 39
散らかしてごめん● 41

ツアーについて教えて● 146
追伸● 29
ついていけない（授業に）● 124
ついていけない（話に）● 37
追突● 167
通路側の席● 25
使い方を教えて● 69 ・ 123
使ってもいい？● 68
捕まえて● 169
付き合っている人がいるの？● 115
つまらない● 141
つもりはない● 23
連れていってもらえる？● 93

定期券● 132
テイクアウト● 150
ディスカッション● 118
ディスポーザー● 43
デートしない？● 114
手紙● 28
手紙を送る● 158
手紙を書きます● 94
手紙をください● 95
できない● 57
手数料● 157
テスト● 103
手伝うよ● 77
テレビ番組● 63
テレビを見せて● 63
天気● 134
伝統的● 85
電話してみようか● 155
電話をかけてもいい？● 66
電話をするべきだった● 57

トイレに行ってもいい？● 117
トイレはどこ？● 153
トイレを貸して● 35

どう？（食事は）● 109
どういう意味？● 36 ・ 37
どう言えばいいの？● 119
どういたしまして● 22
どうかしたの？● 112
どうしてる？（元気？）● 20
搭乗手続き● 25
どうすればいい？● 92
どうぞ● 83
どうなったの？● 144
盗難● 162
盗難証明書● 164
登録● 103
得意？● 143
特別料金● 147
どこから来たの？（ドイツの）● 108
どこですか？（乗り場、駅）● 131
どこですか？（場所）● 133 ・ 135
どこで見られる？● 90
どこにしまえばいい？● 34 ・ 35
どこにステイしているの？● 107
どこに捨てますか？● 43
どこのコーナー？● 60
図書館● 122
どちら？（教室）● 103
どっちがいい？● 109
止まって（車）● 137
泊まってくる● 72
友達と夕飯を食べる● 72
友達をつくりたい● 105
友達を連れていってもいい？● 79
ドライブ● 137
ドライヤーを貸して● 69
トラベラーズチェックは使える？● 138
トランク● 131
取り込み中● 59
どれくらいの数● 23
どれくらいの距離● 23 ・ 47
どれくらいの時間● 29
どれくらいの長さ● 23
どれくらいの頻度● 23
どんなスポーツをするの？● 47 ・ 142
どんなものが好き？● 83

な

なくしました● 164
何が含まれている？● 147
何をあげたらいい？● 79
何を売っているの？● 91
何を着ていけばいい？● 79
何を計画しているの？● 82
何をしようか？（手伝い）● 55
何を持っていけばいい？● 79
何時？● 23・38
何時間かかる？（ツアー）● 147
何時に（戻る）？● 127
何て言えばいい？● 37・119
何と言ったの？● 37
何と呼んだらいい？● 33
名前● 31・33・107
何日？／何曜日？● 23
何人いる？（クラス）● 103
荷ほどきをしたい● 35

に

日本語の〜はある？● 147
日本語を話せる人は？● 161
日本食は売っている？● 61
日本大使館● 165
日本料理● 84
荷物受取● 25
荷物を見ていて● 77
入場料● 155
人気だ● 143

ぬね

盗まれた● 165
願いごとをして● 83
願います● 21

の

値引きして● 91
飲みに行かない？● 154
飲み物をもらえる？● 35
乗り換え● 131

は

バー● 154
パーティ● 78・82
売店はどこ？● 145
ハガキ● 159
吐き気● 160
はぐれた● 145
はじめてです● 29
はじめまして● 30・33
バス● 132
恥ずかしい● 24

発音● 117
バッグを見ていて● 77
話があります● 56
話してもいい？● 135
反対● 118

ひ

控え● 165
ピクニック● 76
飛行機● 31
ビデオを貸して● 63
一晩中起きていた● 72
ひとりでいたいの● 45
ひとりで来たの？● 107
微熱● 75
ひま？● 110
病院● 160

ふ

ファーストフード● 109・150
ファミリードクター● 161
服装の規制● 153
無事に● 97
仏教徒です● 93
武道● 143
ブラインドデート● 115
プレゼント● 95
プレゼントを開けて● 83
プロ野球● 143
紛失● 162

へ

閉館（閉店）● 123
平気だ● 22
ペットは？● 29
ベッドメーキング● 41
部屋を散らかしてごめん● 41
返金● 139
返品● 139

ほ

方法がわからない● 93
暴力はやめて● 169
ホームシック● 109
ホームステイで来ました● 25
他にすることがある● 59
他に注文は？● 151
補償● 136
ポストはどこ？● 159
ほっとしてる● 97
ホテル● 148

ま
迷子になった● 52
また誘って● 59
間違えました（電話）● 67
〜までなら出せます● 91
窓側の席● 25
満タンにして● 137

み
水● 25
道に迷った● 135
道を聞く● 134
見ているだけ● 139
見るのが好きです● 143

む
迎えにきて● 29
迎えにきてくれてありがとう● 31

め
難しい● 85 ・ 125
名刺● 149
メッセージ● 67
メニュー● 153

も
もう一度言って● 37 ・ 117
もう一度お名前を教えて● 32 ・ 33
もう少しもらってもいい？● 49
もう見ました● 141
目的（滞在の）● 25
目標は● 105
最寄りのバス停、駅● 45 ・ 46
もらえる？● 103
門限● 44
門限を遅くして● 41

や
休みたい● 35
薬局● 160
やめて● 169

ゆ
夕食に誘ってもいい？● 115
夕食は何時？● 38
郵便● 159
有名です● 51
ゆすり● 168
ゆっくり（走って）● 137
ゆっくり（話して）● 37
許して● 57

よ
よかった● 24
よく乗るの？● 135
よく行くの？● 141
よくしますか？● 93
横になりたい● 35
酔っている● 167

よ
予定がある● 59 ・ 114
予定は？● 109
呼び出し放送● 145
夜更かしした● 72
予約（病院）● 161
予約（レストラン）● 153
よろしく伝えて● 97
呼んで（ユミと呼んで）● 32

らり
ランチを食べようか？● 109
両替● 156
料金表● 135
領収書● 157
両親● 97

れ
冷蔵庫を貸して● 39
レストラン● 152
レンタカー● 136

ろ
ろうそくを消して● 83
録音● 117

わ
わかりますか？● 37
ワクワクしている● 24
忘れない● 95
わたしの意見では● 119
わたしは〜です● 31
わたしもです● 21

他
体の部位の名称● 162
体調の説明● 163
調理の方法● 89

ホームステイ・短期留学で1日目から通じる英会話
Homestay Communication Handbook

1999年7月24日　第1刷発行

著　者　　小林　則子　*Noriko Kobayashi*

発行者　　猿橋　望　*Nozomu Saruhashi*
発行所　　株式会社 ノヴァ
　　　　　〒542-0086　大阪市中央区西心斎橋 2-3-2
発　売　　ノヴァ・エンタープライズ
　　　　　〒150-0001　東京都渋谷区神宮前 1-8-9
　　　　　電話　03-3478-5545　FAX　03-3478-4448

編　集　　　　牧野しのぶ　*Shinobu Makino*
装　幀　　　　萩原　武　*Takeshi Ogihara*
イラスト　　　市原　淳　*Jun Ichihara*
印刷・製本所　大阪書籍 株式会社